Llyfrau Llafar G

# Cynghanedd ~~~~
# Thelyn yn Arfon

## Dewi Jones

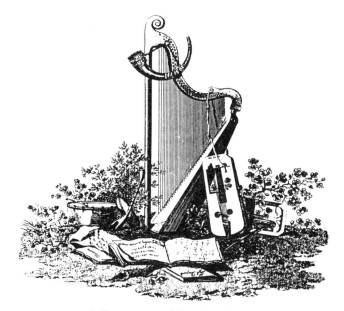

*Offerynnau cerdd yr hen Gymry*
*(Llun:* Musical and Poetical Relicks of the Welsh Bards, *1794)*

**Llyfrau Llafar Gwlad**
*Golygydd y gyfres:*
*John Owen Huws*

*Argraffiad cyntaf: Tachwedd 1998*

ⓗ *Dewi Jones/Gwasg Carreg Gwalch*

*Rhif Llyfr Safonol Rhyngwladol:
0-86381-544-8*

*Clawr: Smala, Caernarfon
Llun clawr: John Smith, y telynor dall a arferai ganu'r delyn yn
nhafarn y* Bull, *Conwy, yn y ddeunawfed ganrif – gan J.C. Ibbetson
(gyda chaniatâd Llyfrgell Genedlaethol Cymru)*

*Argraffwyd a chyhoeddwyd gan Wasg Carreg Gwalch,
12 Iard yr Orsaf, Llanrwst, Dyffryn Conwy LL26 0EH.*
☎ *(01492) 642031*

# Cynnwys

# Cydnabod

Rwyf am fynegi diolch am y cymorth a gefais gan staff y sefydliadau canlynol: Llyfrgell Genedlaethol Cymru; Llyfrgell Prifysgol Cymru, Bangor; Archifdy Gwynedd, Caernarfon a Llyfrgell y Sir, Caernarfon.

Mae'r gefnogaeth, yn ogystal â'r cymorth a dderbyniais gan Meredydd Evans yn haeddu llawer mwy na'r gydnabyddiaeth seml hon o ychydig eiriau. Ei ddiddordeb ef a'm sbardunodd i ailafael yn y gwaith ymchwil a fu'n segur gennyf ers bron i ddeng mlynedd, drwy fy hyrwyddo i draddodi darlith yng Nghynhadledd Flynyddol Cymdeithas Alawon Gwerin Cymru a gynhaliwyd yn Aberystwyth ym mis Medi 1996. Y ddarlith honno yw sylfaen y llyfr hwn.

Hoffwn hefyd gydnabod cymwynasau Phyllis Kinney a rannodd yn hael â mi o'i chasgliad gwerthfawr o ffynonellau'r hen alawon a fu'n anhepgorol i mi wrth baratoi'r bennod olaf.

Diolch i'r ddiweddar Gwyneth Morris a'i chwaer Lliwen o Ben-y-groes am eu cymorth i glirio niwl y gorffennol oddi ar eu hewythr Gwallter Llyfni, a hefyd i Nesta Williams, Rhostryfan, nith y diweddar W. Gilbert Williams, am fy annog i wneud defnydd o waith yr hanesydd lleol.

Am fenthyca lluniau i mi diolchaf i Mary Vaughan Jones, Waunfawr; Mair Parry, Llanllyfni; Morrisa P. Jones, Tyddyn Hywel a Richard Harris Roberts, Pwllheli.

Eraill parod eu cymwynasau oedd y diweddar gyfeillion Bedwyr Lewis Jones a Gwilym R. Jones, a hefyd Mathonwy Hughes, Tegwyn Jones, Dafydd Owen, Rheon Pritchard, Guto a Marian Roberts a Thomas Roberts.

Cyn terfynu rwyf am ddatgan fy niolch i Esyllt Nest Roberts, Gwasg Carreg Gwalch am ei chefnogaeth ddiflino a'i golygu trylwyr.

*Dewi Jones*
*Pen-y-groes, 1998*

# Rhagair

Trwy lythyr y deuais i gysylltiad â Dewi Jones am y tro cyntaf a hynny ym mis Rhagfyr 1986. Ymateb yr oedd i ysgrif a gyfrannais yn gynharach yn y flwyddyn i'r *Casglwr*. I mi y bu'r fantais oherwydd bwriodd ei lythyr oleuni ar gân werin yr oeddwn wedi bod ar ei thrywydd ers tro byd, yn aflwyddiannus. Yn wir, credaf iddo ddatrys fy mhenbleth yn ei chylch yn gwbl derfynol a gobeithiaf am gyfle cyn bo hir i ddangos hynny yng nghylchgrawn Cymdeithas Alawon Gwerin Cymru. [Gweler *Canu Gwerin* 20, 1997 tt.26-27.]

Ers y mis Rhagfyr hwnnw bûm yn ddigon ffodus i ddal y cysylltiad ag o yn gadarn trwy ambell lythyr, sgwrs ar y ffôn a seiat wyneb yn wyneb. Bûm ar f'ennill sawl tro a deuais i wybod tipyn amdano.

Un o hogiau Rhosgadfan yw Dewi, yn fab i chwarelwr. Gadawodd yr ysgol yn bymtheg oed a bu'n ennill ei damaid wrth ddilyn amryw swyddi, yn eu plith gweithio mewn warws, postmona a chlercio. Mae'n briod â Veronica, sy'n wreiddiol o Gaernarfon, ac yn dad i Sharon Wyn, graddedig o Brifysgol Cymru, Aberystwyth ac athrawes Gymraeg yn Ysgol Ardudwy, Harlech. Yn ei oriau hamdden fe'i cymhwysodd ei hun i ddod yn awdurdod cydnabyddedig ymysg gwyddonwyr ar lystyfiant Eryri ac yn hanesydd lleol dawnus a chanddo gariad angerddol at ei fro.

Arwydd o'i ymroddiad yw'r cyfrolau a gyhoeddwyd ganddo eisoes: *Tywysyddion Eryri* (1993), *Datblygiadau Cynnar Botaneg yn Eryri* (1996) a *The Botanists and Guides of Snowdonia* (1996). Argraffwyd darlith o'i eiddo hefyd ar Walter Sylvanus Jones yn *Nhrafodion Cymdeithas Hanes Sir Gaernarfon* (1989). At hyn mae'n ddarlithydd Ysgol Nos ac yn rhoi'n hael o'i amser a'i ddoniau i gymdeithasau diwylliannol sawl ardal. Dyn diwyd, llawn brwdfrydedd dros ei bynciau ac un y mae'n ddoeth i ddyn eistedd ar gadair cyn ateb galwad ffôn oddi wrtho! Gair o gyfarchiad siriol ac yna bwrlwm o wybodaeth am beth bynnag sydd ganddo ar ei blât ar y pryd, hynny yn gymysg â chodi cwestiynau sy'n aml yn achos cryn grafu pen i ddyn. Mae'n draethwr a gwrandawr; yn chwilotwr a phrociwr campus.

Yn y gyfrol hon aiff ar drywydd telynorion, baledwyr a beirdd ei ran arbennig ef o Arfon, gan godi'r llen ar beth o fywyd cymdeithasol y ddeunawfed ganrif a'r bedwaredd ganrif ar bymtheg a gorffen gyda phortread o gymeriad diddorol dros ben a dreuliodd y rhan helaethaf o'i oes yn nhraean cyntaf y ganrif bresennol. I gofio am y cymeriad hwnnw, Walter Sylvanus Jones neu Gwallter Llyfni, y canodd Robert Williams Parry ei gerdd 'Yr Hen Gantor' ac yn ôl cyffes Dewi ei hun yn un o'i lythyrau ataf, ymchwilio i hanes y Gwallter a'i sbardunodd i ehangu'r maes yr ymdrinir ag ef yma. A benthyca ymadrodd ar ddiwedd un o gerddi T.S. Eliot: 'Yn fy nechrau mae fy niwedd' a chwbl briodol yw fod

Dewi yn cloi ei lyfr gyda Gwallter gan mai un o ddiddordebau'r gŵr hwnnw oedd hanes lleol. Gweithia'r ddau ar yr un graig gyda'r gwahaniaeth arwyddocaol fod cerrig Dewi yn llawer mwy niferus a rhywiog na'i gyd-frodor hoffus.

Mae yma gyfraniad gwerthfawr i hanes cymdeithasol cyfnod a bro neilltuol ac i lên gwerin yn gyffredinol: gwybodaeth a difyrrwch ynghyd.

*Meredydd Evans, 1997*

# Cefndir yr Ardal

Yng *Nghofiant John Roberts Llangwm* a ysgrifennwyd gan ei fab, y Parch Michael Roberts, Pwllheli, cyfeirir at y prysurdeb mawr a fodolai yn Nrws y Coed, Dyffryn Nantlle, yng nghanol y ddeunawfed ganrif yn dilyn twf y diwydiant copr yno. Cyflogid nifer o weithwyr hefyd yn chwarel lechi'r Cilgwyn yn ystod yr un cyfnod pan oedd y chwyldro diwydiannol ar fin cychwyn. Dechreuodd y cynnwrf diwydiannol gyffroi bywyd traddodiadol amaethyddol mynyddwyr Eryri gan greu'r tyddynnwr-chwarelwr, cyfuniad o'r hen ffordd a'r ffordd newydd o ennill bywoliaeth.

Yn yr amser hwn ni fodolai un o'r pentrefi poblog sydd yn awr i'w cael ar lechweddau Arfon, ac nid oedd yr un addoldy Ymneilltuol, dim ond eglwysi'r plwyf. Tyfodd nifer o bentrefi bychain o gwmpas eglwysi Clynnog Fawr, Llandwrog a Llanllyfni yng nghwmwd Is-Gwyrfai a Betws Garmon, Llanrug a Llanberis (Nant Peris bellach) wrth droed yr Wyddfa. Caernarfon oedd y dref fasnachol fwyaf canolog i'r mwyafrif o'r trigolion gyda'i marchnad brysur a gynhelid bob dydd Sadwrn. O fewn waliau'r dref hefyd gweinyddid llywodraeth leol sir Gaernarfon a luniwyd i gynnwys hen gantrefi Cymreig Arfon, Arllechwedd a Llŷn a chymydau Nanconwy ac Eifionydd. Dyma hefyd ganolfan cyfraith a threfn y sir lle cynhelid y sesiynau chwarter.

Yn yr oes honno roedd baledwyr a thelynorion yn fawr eu croeso a'r ymladdwyr pen ffeiriau a gwŷr cryfion y plwyfi yn arwyr, gyda diota a gloddesta yn gyffredin iawn ymhlith y werin bobl yn ogystal â'r bonheddwyr.

Cyn gynted ag y byddai'r gwasanaeth boreol drosodd byddai'r offeiriad yn mynd allan o'r eglwys o flaen pawb arall ac wrth ei sodlau heidiai'r cynulliad gan redeg am y cyntaf i gyrraedd y dafarn. Pwy bynnag fyddai'n cyrraedd yno gyntaf a enillai'r wobr o chwart o gwrw gan ei gyfeillion. Yn y dafarn byddai'r clochydd yn cyhoeddi dyddiadau'r ffeiriau a'r arwerthiannau, pethau oedd wedi eu colli, a'r mannau lle byddai angen gweithwyr. Denai hyn y bobl at ei gilydd.

Cynhelid priodasau ar y Suliau yn aml, ac weithiau angladdau, yn enwedig os oedd y teulu a gawsai brofedigaeth yn dlawd. Deuai'r bobl ifanc i'r priodasau hyn ac fe'u cynhelid mewn tai, ysguboriau ac ar dywydd braf, allan ar y meysydd, a deuai Harri Delynor i'w diddanu gyda'i delyn a byddai canu a dawnsio.

Dywedir bod cymaint â deuddeg o dafarnau rhwng Drws y Coed a Llanllyfni, ac yr oedd gan bob rhanbarth safleoedd arbennig lle byddent yn arfer cyfarfod ar y Suliau. Ymdyrrai pentrefwyr Llanllyfni tua'r eglwys ar y Suliau, ond nid er mwyn addoli yn unig yr elent yno, ond yn hytrach i chwarae pêl ar ei thalcen, neu bêl-droed, ac i gynnal ymryson codi pwysau.

Robert Thomas, Ffridd, Baladeulyn oedd prif ymladdwr plwyf Llanllyfni yn ystod y cyfnod dan sylw, ac mae hanes ei droedigaeth wedi cael ei hailadrodd droeon gan gofnodwyr hanes y Diwygiad. Roedd ymladdfa wedi ei threfnu rhwng plwyf Clynnog a phlwyf Llanllyfni ar Ddydd Llun y Sulgwyn yng Ngwylmabsant Clynnog un tro, a Robert Thomas y Ffridd oedd arweinydd y fintai o'r Llan. Cododd yn fore y diwrnod hwnnw gan baratoi ei hun at yr ysgarmes, a chyda chlamp o bastwn derw yn ei law cychwynnodd o'r Ffridd i sŵn wylo ei wraig a'i blant. Wydden nhw ddim ym mha gyflwr y deuai yn ôl, os y deuai o gwbl. 'Tewch â gwirioni, ffyliaid,' meddai, 'myn diawl, mi falaf un hanner dwsin ohonynt fel cocos, nes y diango yr hanner dwsin arall.' Yn y man cyrhaeddodd Gapel Uchaf gerllaw Clynnog, a chlywodd ganu yn dod o dŷ Edward y teiliwr. Aeth i mewn ac o dipyn i beth teimlai ei hun yn cael ei ddenu'n reddfol i ymuno yn yr addoli, ac yno y bu hyd ddiwedd y cyfarfod. Synnodd ei wraig a'i deulu ei weld yn dychwelyd mor gynnar ac eglurodd yntau: 'Oddeutu milldir y tu yma i Glynnog clywais ganu mewn tŷ, ac euthum yno. A chlywais un o'r bobl newydd yna yn pregethu, ac ni chlywais erioed y fath beth. Cadi, ni feddwaf byth rhagor, ac nid ymladdaf mwy â neb ond â'r cythraul a phechod.' Yn y cyfamser yr oedd mintai plwyf Llanllyfni heb arweinydd ac ni fentrodd yr un ohonynt ymlaen i gyfarfod ymladdwyr Clynnog. Y diwedd fu i'r frwydr gael ei gohirio. Diau fod llawer o wŷr Clynnog yn diolch yn ddistaw bach nad oedd y cawr o'r Ffridd wedi dod i'w mysg i'w cystwyo gyda'i ffon dderw fawr.

Gweithiai Robert Thomas yng ngwaith copr Drws y Coed ar y pryd ac yr oedd, er ei holl feiau, yn ddarllenwr da a phrynai bob cerdd a holl weithiau'r prydyddion a gâi eu hargraffu. Meddai ar y ddawn i rigymu ar bob achlysur hefyd. Yr oedd yn dad i ddeuddeg o blant a'r ddau fwyaf adnabyddus ohonynt oedd y gweinidogion John Roberts, Llangwm a Robert Roberts, Clynnog.

Yn Llawysgrif Caerdydd 2.14 ceir y gosodiad canlynol wrth gerdd o waith William Bifan y Gadlys:

W. Evans ai cant i oror Robert Thomas y prydydd sef Nant Nantlle. Medi 8fed. 1763.

Wedi chwaraeon y dydd, ymgynullai pobl Llanllyfni yn Nhy'n Llan fin nos. Yn Nhy'n Llan hefyd yr arferid newid ceffylau'r goets fawr a redai rhwng Caernarfon a Phorthmadog yn ystod y bedwaredd ganrif ar bymtheg.

Daniel Parry, Ty'n Llan oedd gyrrwr y goets fawr ac mae'n amlwg ei fod yn ŵr uchel ei barch yn y gymdogaeth o ddarllen yr englynion a luniwyd iddo gan Ellis Owen, Cefnymeysydd:

Daniel sydd un o'r dynion – a folir
 Gan filoedd yn gyfion;
 Yn ddibaid a llygad llon
 Odiaethol i'r ymdeithion.

Gwelir y nos yn golau – i lawr
 O lewyrch ei lampau
 Ofer i hwn ei ymfawrhau
 O'r gyrwyr ef yw'r gorau.

Goroesodd ei enw mewn hen rigwm doniol hefyd:

Pwy ddechreuodd Ffair Llanllyfni?
 Daniel Pugh a Daniel Parry;
 Pwy oedd y capden ar y rheini?
 John Bach Teiliwr wedi meddwi.

Ym mhentref Llanllyfni y trigai Daniel Pugh gyda'i frawd Thomas a'i chwaer Begw ac roedd ganddynt drol a cheffyl. Roedd stabl y ceffyl yng nghefn eu tŷ ac mae'n rhaid nad oedd lôn gefn i'w cartref yn bod bryd hynny ac o'r herwydd rhaid oedd iddynt dywys y ceffyl drwy'r tŷ i gael ato.

Mewn rhan arall o blwyf Llanllyfni arferai'r trigolion ymgynnull ar y Suliau mewn cae ar dir tyddyn o'r enw Buarthau a elwid yn Gae'r Defaid. Dyma'r fan lle cynhelid ymryson ymladd ceiliogod, chwarae *crown* a *pitchio* ac mewn congl arbennig o'r cae byddai'r hen bobl yn cyfnewid storïau am y bwganod y byddent wedi eu gweld yn ystod yr wythnos a aeth heibio. Byddai yno wraig oedrannus a adwaenid fel Gwen y Canu a chanddi'r ddawn i felltithio. Pe bai rhywun wedi pechu un o'i chymdogion âi'r cymydog i weld Gwen y Canu ac wedi derbyn y tâl arferol rhoddai hithau felltith ar y gŵr neu'r wraig anffodus. Pan ddeuai hwnnw neu honno i ddeall ei fod dan swyn yr hen wraig âi ati er mwyn cael gwared â'r felltith a byddai swm arall o arian yn mynd i bwrs Gwen y Canu. Yn y Buarthau yn y 1760au yr agorwyd y drws i'r Methodistiaid gael pregethu am y tro cyntaf yn Llanllyfni.

Deuai nifer o feirdd gwlad at ei gilydd i'r cyfarfodydd hyn hefyd a dangosid parch neilltuol at y garfan hon gan bawb rhag ofn iddynt gyfansoddi cerdd i'w dychanu.

Ar y Suliau yn ystod misoedd yr haf byddai ieuenctid rhan uchaf Dyffryn Nantlle yn cyfarfod ar lain o dir gerllaw Plas Nantlle i chwarae'r bêl-law, *ceulus*, tra gwyliai'r hen bobl hwy gan annog a mwynhau. Wedi i'r chwarae ddod i ben a thra suddai'r haul yn araf gan daflu cysgodion dros lynnau Nantlle, adroddid straeon am y Tylwyth Teg a bwganod a byddai daroganau Robin Ddu yn bwnc trafod i'r rhai mwyaf deallus. Yn y gaeaf chwaraeid pêl-droed gerllaw Tŷ Mawr ar y Suliau a diweddid rhialtwch y penwythnos yn y dafarn yn ôl yr arfer.

Yr un oedd yr hanes yn ardal Llanberis fel y tystia William Williams

Ceunant Coch yn ei draethawd *Hynafiaethau a Thraddodiadau Plwyf Llanberis a'r Amgylchoedd:*

Wedi dod allan o'r Llan ar fore Sul treulid y gweddill o'r dydd i chwarae pêl, neidio, coibio, codymu, ac yfed; ac fel rheol yr offeiriad fyddai yn arwain. Ar nos Sadyrnau byddai ieuenctid yn cadw nosweithiau canu, yn difyrru eu hunain gyda'r delyn a'r ddawns hyd doriad gwawr y Saboth. Yr oedd chwarae interliwidiau yn dra phoblogaidd a chymeradwy gan bawb. Teithid ffordd bell er eu gweled a'u clywed. Yng ngwasanaeth crefyddol y Llan y cyhoeddid hwy gan y clochyddion. Cyfarfyddent y nos i adrodd chwedlau. Ysbrydion, tylwythion têg, coelion, swynion a dewiniaeth oedd defnyddiau pob stori. Rhoddai pawb goel mawr ar freuddwydion, a threulid amser maith i'w hadrodd. Rhyw 'arwydd' oedd pob amgylchiad. Yr oedd breuddwydion y nos, a mân ddigwyddiadau y dydd yn dychryn y bobl. Yr oedd malwoden araf, pioden wyllt, llyffant musgrell, a'r ysgyfarnog heinyf, yn genhadon byd arall yn eu tyb. Cymerid yn ganiataol fod crugleisiad aderyn y corff, nâd dylluan, udiad ci, a chaniad ceiliog yn ragfynegiadau marwolaeth bob un. Nid oedd a amheuai nad oedd drychiolaethau ar bob croesffordd, coedwig, merddyn, hen balas, eglwys a mynachlog.

Y cyfarfodydd hyn, yn ogystal â'r nosweithiau llawen, oedd prif atyniadau adloniant y cyfnod – fel mae *gigs* a gwyliau pop ein hoes ni – a'r telynorion, baledwyr a'r beirdd gwlad oedd y prif atyniad; hwy oedd 'sêr' yr oes.

Ar lethrau Mynydd Llanllyfni yn ystod degawd olaf y ddeunawfed ganrif trigai Martha'r Mynydd gyda'i gŵr mewn tŷ gerllaw Penpelyn, nid nepell o'r fan lle saif pentrefi Nebo a Nasareth heddiw. Dyma hen rigwm amdani:

> Am ei thwyll nid oes drwy'r gwledydd,
> Ail yn bod i Martha'r Mynydd,
> Llawer ffôl, a meibion penwan,
> Hudodd hon i Bant yr Arian.

Lledaenodd Martha'r hanes ei bod hi a'i gŵr mewn cydnabyddiaeth â thylwyth a elwid yn 'Anweledigion', pobl a oedd yn berchen ar bwerau goruwchnaturiol ac nad oedd yn weledig ond i'r cyfryw rai a oedd wedi ymroddi i'w cymdeithas. Yr oedd dau aelod o'r tylwyth, a adnabyddid fel Mr a Miss Ingram yn ôl Martha, yn arfer dod i ymweld â'i chartref i gynnal gwasanaethau crefyddol. Ni allai'r 'Anweledigion' oddef goleuni a chynhelid y cyfarfodydd hyn heb olau cannwyll na lamp, dim ond y llewych egwan a daflai'r marwor o'r lle tân. Trigai Mr a Miss Ingram mewn plasty gwych, yn ôl Martha, gan deithio o gwmpas y wlad mewn cerbydau na adawent ddim o'u holion yn yr eira. Deuai cynulliad o gymdogion, a rhai o gryn bellter, i dŷ Martha adeg gwasanaethau'r

'Anweledigion'; yn wir, roedd un ffermwr cefnog o Fôn wedi cario'i holl gyfoeth yno yn y gobaith o gael Miss Ingram yn wraig iddo. Yr hen ŵr a bregethai weithiau, a thro arall y ferch a ymddangosai yn ei gwisg wen yr ochr arall i'r llenni tenau a wahanai'r addolwyr a'r gynulleidfa, ond ni fyddai'r 'Anweledigion' byth yn ymddangos gyda'i gilydd. Ond yr oedd un gŵr o blith y rhai a oedd wedi ymroddi i ddod yn aelodau o'r gymdeithas gyfrin hon yn dechrau amau mai twyll ar ran Martha oedd yr holl beth. Roedd Guto Wirgast wedi sylwi bod Martha wedi llosgi ei throed yn o ddrwg un tro, ac ar un o'r nosweithiau cwrdd cadwodd ei olwg ar droed Miss Ingram tra oedd yn pregethu. Yn sydyn, neidiodd gwreichion o'r tân a gwelodd Guto y llosg ar droed Miss Ingram a gwaeddodd, 'Gwrandewch bobl, ein twyllo yr ydym yn gael yn ddiamheuol, myfi a wnaf fy llw mai Martha yw hon'. Aeth y tŷ yn ferw drwyddo, ond yr oedd y gweddill o'r gynulleidfa mor argyhoeddedig o'u ffydd yng nghrefydd yr 'Anweledigion' ag i droi ar Guto a'i daflu o'r tŷ. Fodd bynnag, datgelwyd y gwir cyn pen hir, ac edifarhaodd Martha gan gyfaddef ei thwyll. Daeth yn aelod gyda'r Methodistiaid yn Llanllyfni lle bu'n ffyddlon weddill ei hoes. Bu farw Martha Parry ar yr 20fed o Fedi, 1836 yn chwech a phedwar ugain oed ac fe'i claddwyd ym mynwent y plwyf, Llanllyfni.

# Y Telynorion

Robert Parry o Lanllyfni oedd athro telyn John Parry, y telynor dall o
Riwabon, a deallaf fod perthynas deuluol rhyngddynt. Ceir y cofnod
canlynol yng nghoflyfr plwyf Llanllyfni am y flwyddyn 1744: *'Buried
Robert Parry Harper on 15th January'*. Roedd ganddo fab o'r enw Henry
Robert Parry ac yn y flwyddyn 1749 ceir y nodyn, *'Married Henry Robert
Parry Harper and Margaret Parry Banns being first published ye 23rd of
February'*. Roedd telynor poblogaidd o'r enw Harri ap Harri yn byw yn
Llanllyfni yn ystod y cyfnod hwn a cheir cyfres o wyth o englynion
teyrnged iddo o waith Thomas Williams, Abermaw, dyddiedig y 13eg o
Awst, 1779. Dyma'r cyntaf a'r olaf o'r gyfres:

## O Folawd i Harri ap Harri o Lanllyfni

Gwnawd mwynwych lonwych englynion – i wyr
    Oherwydd Gorchestion
    Dewr alwad Daiarolion
    Ymysg Cler yw'r arfer hon.

Y cywrain waith, car yn wych
    A rydd yn well wreiddyn iach
    E fydd ei sail trwy fodd sych
    O wir bwyll i Harri bach.

Mewn erthygl am hen delynorion gan Alltud Eifion, a ymddangosodd
yn rhifyn XI o'r cylchgrawn *Cymru* (tt.46-47), dywed yr awdur i'r
ffeithiau sydd ynddo gael eu trosglwyddo iddo gan gyfaill a oedd wedi
eu cael gan yr hen delynor adnabyddus Robert Williams, Llanbedrog.
Mae'r erthygl yn cadarnhau bodolaeth dau delynor o'r enw Harri o
Lanllyfni:

Y ddau Harri o Lanllyfni – y mab a'r tad – yr oeddynt yn gerddorion
iawn. Clywais y gallai y ddau chwareu yr un dôn ar yr un delyn ar
unwaith, mewn wythau i'w gilydd. Yr oedd yr Harri ieuengaf yn dad
i John Parry, Oriedydd, Tremadog, ac yn daid i Robert Parry, Pwllheli.

Gwyddom i sicrwydd fod Henry Robert Parry a'i wraig Margaret yn
byw yng Nghae Du o 1750 hyd at 1769, ond erbyn 1772 ceir cofnod fod
telynor o'r enw Henry Roberts yn byw yn Nhy'n Lôn, ac mae hyn yn
codi'r cwestiwn tybed ai yr un oedd y ddau? Mewn ysgrif o waith
Gwallter Llyfni mae'n crybwyll 'Robert Parry y telynor a'r cerddor oedd
â'i glodydd ledled y wlad . . . Dilynwyd ef gan ei fab [Henry Robert
Parry] . . . a chafodd gymorth Harri Robert Ty'n Lôn . . . ' A oedd felly dri
thelynor adnabyddus yn Llanllyfni bryd hynny? Mae ysgrif Gwallter
Llyfni yn awgrymu bod. Tybed ai mab i Henry Robert Parry oedd yr
Harri ieuengaf y cenir ei glodydd yn yr englynion? Os yw hyn yn ffaith

roedd Robert Parry nid yn unig wedi addysgu John Parry, Rhiwabon ac eraill, ond roedd hefyd wedi llwyddo i drosglwyddo'r traddodiad i'w fab Henry Robert Parry, ac yntau wedi hyrwyddo ei fab yntau, sef y cymeriad niwlog y cyfeirir ato yn yr englynion fel 'Harri bach' ac yn ysgrif Alltud Eifion fel 'Harri'r ieuengaf'.

Saif ffermdy Cae Du ar yr ochr dde rhyw led cae o'r ffordd sy'n arwain o bentref Llanllyfni i Glynnog Fawr a adnabyddir yn lleol fel Lôn Coecia. Mae Cae Du Uchaf yr ochr ddwyreiniol i'r pentref gerllaw Hendreforion. Mae'n debyg mai rhywle yng nghyffiniau mynwent Ty'n Lôn yr arferai'r tŷ o'r enw yma fod. Nid oes tŷ o'r enw Ty'n Lôn yno heddiw. Mae mynwent Ty'n Lôn, neu mynwent y Sandemaniaid, ar ochr chwith y ffordd sy'n mynd drwy Lanllyfni i gyfeiriad Porthmadog. Roedd mynwent Ty'n Lôn yn gysylltiedig â'r capel cyntaf a adeiladwyd gan y Bedyddwyr yn Llanllyfni yn 1792, ond nid oes dim o'i olion yno bellach. Mae'r hen enwau ar y fynwent, sef 'mynwent y Sandemaniaid' a 'mynwent bara caws' wedi goroesi ar lafar gwlad gan drigolion Llanllyfni; enwau sy'n tarddu o amser ymraniad y Bedyddwyr Albanaidd (Sandemaniaid) dan arweiniad J.R. Jones, Ramoth, Meirionnydd, yn 1805. Cyfrannai Sandemaniaid Llanllyfni gyflenwad o fara a chaws i'r addolwyr yn ystod yr egwyl rhwng oedfaon y bore a'r hwyr yn ôl arferiad yr enwad o gadw cariadwledd. Dyma eglurhad o'r arferiad hwn wedi ei ddyfynnu allan o *Aeron Awen* (1824):

Y Sandemaniaid. Y prif ddaliadau ac ymarferion yn y rhai y mae'r blaid hon yn gwahaniaethu oddiwrth Grist'nogion eraill, ydynt, eu gweinyddiad o Swper yr Arglwydd yn wythnosol; eu cariad-wleddoedd, o'r rhai nid yn unig y maent yn caniatau, ond yn gofyn i bob aelod fod yn gyfrannog, â'r hyn sydd gynnwysedig yn eu gwaith yn ciniawa ynghyd yn nhai eu gilydd rhwng y gwasanaeth boreol a'r prydnawnol; eu cyson cariad yr hwn a arferid ar yr achos yma, ar dderbyniad aelod newydd, ac ar amseroedd eraill pan dybiont yn angenrheidiol a chymwys; eu casgliad wythnosol o flaen Swper yr Arglwydd; er cynhaliaeth y tlodion ac achosion eraill; rhybuddio'r naill a'r llall.

Cenir clodydd Harri'r telynor mewn hen benillion telyn hefyd. Ni wyddys pwy a'u cyfansoddodd ond roedd penillion o'r fath yn boblogaidd drwy Gymru benbaladr, wedi eu trosglwyddo o un genhedlaeth i'r llall ar lafar gwlad. Dyna beth yw traddodiad a dyna sut mae ein llên gwerin wedi goroesi:

Pan ddaw telyn Harri i bentref Llanllyfni
Yna ceir canu yn heini mewn hedd
Rhwng chwech o gantorion y bydd yr ymryson
Gwyr Arfon da wiwlon diwaeledd.

Un William o Ddrwsgoed, a Gruffydd Isalltgoed,
A Rhisiart o'r Ffriddgoed, gŵr dewr ar ei gainc,
A Rolant Caernarfon, ac Ifan Tai'r Meibion,
A Dafydd, gŵr hylaw, Dol Helig.

Ac mewn fersiwn arall:

Pan ddaw telyn Harri i bentref Llanllyfni
Gwnawn neithior yw moli, rwi'n gwaeddi am roi gwadd
I chwech o gantorion rhai manwl a mwynion
A rhaini'r un galon ai gilydd.

Un o Hendreforion, Llanllyfni, oedd Ffowc Bach y Cantwr a gafodd
dri mis o addysg yn Nolgellau gan Ioan Rhagfyr. Dywedir bod Harri'r
telynor yn gyfaill i Ioan Rhagfyr a diau i Ffowc elwa hefyd oddi wrth ei
gymydog yn ystod blynyddoedd ei ieuenctid yn Llanllyfni. Symudodd
Ffowc i fyw i'r Clegyr ger Llanberis wedi iddo briodi, a theithiai i Fôn a
rhannau eraill o'r wlad i ddysgu pobl i ganu yn yr eglwysi am dâl o
ychydig geiniogau a blawd haidd. Cafodd oes hir a bu farw yn un ar
bymtheg a phedwar ugain oed a cheir cofnod o'i gladdu ar y 15fed o
Ragfyr, 1870 yng nghoflyfr plwyf Llanrug gyda'r nodyn canlynol: *'The
well known singing Master, he had his faculties to the end and sat up in his
chair, he was a native of Llanllyfni or Llandwrog'.*

Cydoesai dau delynor a dwy delynores arall yn Nyffryn Nantlle yn
ystod y ddeunawfed ganrif. Safai hen ffermdy Llwyn y Fuches gerllaw y
tŷ annedd a elwid Llwyn Onn yng nghanol pentref Pen-y-groes.
Rhannwyd y fferm yn nifer o fân ffermydd yn ddiweddarach, ac ar y
tiroedd hyn y tyfodd pentref Pen-y-groes yn sgîl twf y diwydiant llechi.
Llwyn y Fuches oedd cartref John Griffith y telynor a'i ferch Mary a oedd
yn delynores. Yr oeddynt yn eu blodau rhwng y blynyddoedd 1744 ac
1752. Priododd Mary gydag Ifan Jones y melinydd, Llanllyfni, ym mis
Rhagfyr 1749.

Yn rhanbarth uchaf Dyffryn Nantlle roedd telynor o'r enw Richard
Morris yn byw gyda'i wraig, sef yr anfarwol Marged uch Ifan, yn nhafarn
y Telyrnia islaw y Gelli Ffrydiau ger Nantlle. Symudodd y ddau i fyw i
Ben Llyn yng ngwaelod Dyffryn Padarn, ardal Llanberis, yn
ddiweddarach, lle daliai Marged gytundeb i gario'r copr i lawr y
llynnoedd o'r gweithfeydd wrth odre'r Wyddfa. Anfarwolwyd hi gan
Thomas Pennant, y teithiwr a'r hynafiaethydd, fel y *'Queen of the lakes'* yn
ei gyfrol *Tours in Wales*. Roedd gan Richard Morris ei gŵr ddisgyblion yn
dod ato am wersi telyn ym Mhen Llyn ac yn eu plith roedd Richard
Thomas o Lys y Gwynt ger Nant y Garth. Gan mai saer coed ydoedd
wrth ei alwedigaeth, dysgodd wneud telynau yn ogystal â'u canu.
Dafydd Ellis oedd ciwrat Llanberis ar y pryd a chyfansoddodd gyfres o
englynion i 'Risiart Morys o Ben Llyn, Telynor' a ddyddiwyd 1764 ac
sydd ymhlith Llawysgrifau Gwyneddon (19) ym Mangor. Dyma'r ddau
gyntaf:

Y cerddor mewn cu urddas, clodadwy
Clau didwyll ei bwrpas,
Lluniwr iaith, llawn yw o ras,
Cu, ethol, oen cyweithas.

Pen-cerddor goror gywrain, pen-prydydd
Priodol oleusain,
Clywir sŵn pur drwy'r mur main,
A llafar dannau'n llefain.

Roedd Marged hithau'n gerddor o fri. Canai'r delyn, y crwth a'r ffidil, ac roedd ganddi ugeiniau o hen alawon gwerin Cymreig ar ei chof. Gallai hefyd wneud telynau. Mae sôn amdani'n chwarae'r delyn yn nrws y Telyrnia ar nosweithiau o haf a'i chwsmeriaid yn dawnsio o'i chwmpas. Tyfodd pob math o chwedlau amdani. Dywedir ei bod yn wraig o gryfder anhygoel, yn reslo'n rheolaidd ac yn rhoi cweir i ddynion llawer iau na hi. Hi oedd yr orau am ddal llwynogod drwy'r holl ardal a chadwai gnud o gŵn hela o frid. Am bob llwynog a laddai cadwai gownt ohonynt drwy dorri bwlch yn ei silff ben tân gyda chyllell. Tystiodd un gŵr lleol iddo gyfrif cymaint â chant a deg a phedwar ugain o'r toriadau hyn. Adeiladai gychod, pedolai ei cheffylau ac roedd yn grydd medrus. Cafodd fyw i weld ei 91ain pen-blwydd a cheir cofnod claddu 'Margaret Evans of Pen Llyn' yng nghoflyfr plwyf Llanddeiniolen, dyddiedig y 24ain o Ionawr, 1793 [G.A.G. XPE293].

Mae gan Farged fwyn ferch Ifan
Delyn fawr a thelyn fechan,
Un i chwarae'n nhre Caernarfon
A'r llall i gadw'r gŵr yn ffyddlon.

Mae gan Marged fwyn ferch Ifan
Grafanc fawr a chrafanc fechan;
Un i dynnu'r cŵn o'r gongol,
A'r llall i dorri esgyrn pobol.

Nid nepell o safle tafarn y Telyrnia saif ffermdy'r Gelli Ffrydiau ac yma yn ystod ugain mlynedd olaf yr ail ganrif ar bymtheg y treuliodd Angharad James flynyddoedd ei hieuenctid. Roedd yn ferch i James Davies ac Angharad Humphreys ac fe'i henwyd yn Angharad James yn ôl yr hen drefn Gymreig. Yr oedd ei thad yn ysgrifennwr ac yn gasglwr cerddi, ac roedd y Parchedig John Jones Tal-y-sarn yn or-ŵyr iddi. Derbyniodd addysg dda a daeth yn hyddysg mewn Lladin ac roedd hefyd yn fardd a thelynores fedrus; mae peth o'i gwaith barddonol ar gadw yn y Llyfrgell Genedlaethol. Bu ei hysgriflyfr, a gynhwysai ei chyfansoddiadau barddonol ei hun, ym meddiant Gutyn Peris (Griffith Williams, 1769-1838) a chan mai mewn inc coch yr ysgrifennwyd ynddo fe'i gelwid 'Y Llyfr Coch'. Dengys bod chwarae'r delyn cyn noswylio yn ddefod ganddi a byddai'n anfon am yr holl deulu ynghyd â'r gweision a'r morwynion i ddod allan i ddawnsio i'w chyfeiliant.

Priododd pan oedd yn ugain oed gyda William Prichard, a oedd ddeugain mlynedd yn hŷn na hi, ac aeth i fyw i'r Parlwr, Penamnen, Dolwyddelan lle bu'n parhau gyda'r diddordebau a'r arferion a fabwysiadodd ym mro ei mebyd:

> Mae tinc y delyn ar Glwt y Ddawns,
> Clywch Angharad yn tiwnio.

Pan ddaeth y teithiwr William Bingley i ogledd Cymru yn 1798 ac 1801, nododd yn ei lyfr taith fod y crythorion bron iawn wedi darfod o'r tir, ac nad oedd hyd yn oed enw'r offeryn mwyach yn gyfarwydd i rai o'r telynorion. Daeth Bingley ar draws hen grythor yng Nghaernarfon ond er y gallai chwarae rhai o'r hen alawon nid oedd yn fawr o chwaraewr yn ôl yr ymwelydd. Ni wnaeth y miwsig *exceedingly harsh* a gynhyrchai'r offeryn hynafol fawr o argraff ar glust y dyn dieithr ac aeth ymlaen i ddweud mai'r hen ŵr o Gaernarfon oedd efallai yr olaf o grythorion Cymru. Dylem yn sicr roi rhyfaint o goel ar hyn gan mai'r Parchedig Peter Bailey Williams (1763-1836; mab Peter Williams yr esboniwr), person plwyfi Llanrug a Llanberis, oedd tywysydd Bingley yn Arfon, gŵr a chanddo wybodaeth drylwyr o'r ardaloedd cylchynol a hanesydd lleol mawr ei barch. Sonia Bingley hefyd am y crwth tri-thant a ystyrid fel offeryn o radd isel iawn: *'The performers on this were held in very low estimation by the bards on account of its want of harmony, and the small degree of skill requisite to the playing of it'*.

Sonia Glasynys (Owen Wyn Jones, 1828-70) am 'Fedd y Crythor Du' mewn safle gerllaw Llyn Dinas yn Nant Gwynant ac mae Edward Lhuyd hefyd yn nodi 'Yng nglan Llyn Dinas mae tri bedd a elwir: Bedde'r tri llanc, a thri gŵr, a thri milwr (sef Milwyr Arthur) a Bedde'r Gwyr Hirion; a dau fedd a elwir Bedd y Crythor a'i Was, neu Fedd y Crythor Du a'i Was'. Cyfansoddodd Carneddog gerdd dan y teitl 'Cathl y Crythor Du'. Dyma'r pennill cyntaf:

> I'r Cymry gynt y gwnâi ei ran
> O blwy' i blwy', o Lan i Lan,
> O dannau'i grwth fe dynnai ef
> Alawon swynai wlad a thref;
> Ni theimlid hebddo unrhyw hwyl
> Ar ddwndwr ffair neu loddest gŵyl,
> Ond er helbulon byd a'i wên;
> Eu ffyddlon gerddor aeth yn hen.

# Y Baledwyr

Yn sgîl y cysylltiadau masnachol a gwleidyddol rhwng Cymru a Lloegr o gyfnod y Tuduriaid ymlaen, roedd dylanwadau Seisnig diwylliannol yn anorfod; yn eu plith y rheiny ar farddoniaeth boblogaidd Cymru. O ganlyniad, yn yr ail ganrif ar bymtheg deuai llu o daflenni baled i Gymru o argraffdai yn Lloegr ac erbyn y ddeunawfed ganrif argreffid rhai cannoedd gan weisg Cymru ei hun. Un cyfrwng effeithiol i ledaenu'r dylanwad Seisnig hwn ymhlith y Cymry oedd dull masnachu'r porthmyn, er bod yn rhaid pwysleisio nad hwn oedd yr unig gyfrwng. Y gwir yw fod llawer o fynd a dod o du'r Cymry i Loegr – milwyr, morwyr, myfyrwyr, masnachwyr, merched gweini, crefftwyr a llafurwyr.

Yr oedd yr uchelwyr Cymreig hwythau wedi Seisnigo'n fawr erbyn y ddeunawfed ganrif ond ymlynodd llawer o'r mân ysgweiriaid wrth yr hen farddas draddodiadol a meddent ar gyfrolau trwchus a gynhwysai gopïau llawysgrifol o waith yr hen feirdd. Dechreuodd yr adfywiad a ddaeth ym myd barddas yn Arfon yn ystod blynyddoedd olaf y ddeunawfed ganrif a nodir Dafydd Ddu Eryri (David Thomas, 1759-1822) o'r Waunfawr fel bardd amlycaf y cyfnod. Byddaf yn ymdrin ymhellach â hyn mewn pennod arall.

Yn ystod oes aur yr hen faledwyr, sef y ddeunawfed ganrif, cawn mai digon prin ei baledwyr oedd Arfon o'i chymharu â rhannau eraill o ogledd Cymru, ond gall Dyffryn Nantlle, ac yn arbennig blwyf Llanllyfni ymfalchïo yn ei phedwar baledwr sydd a'u gwaith yn argraffedig mewn mân bamffledi wyth tudalen yn cynnwys un, dwy neu dair cerdd.

Thomas Roberts o Dy'n y Weirglodd yw'r amlycaf ac fe argraffwyd ei waith gan Stafford Prys a Thomas Durston, Amwythig; John Rowland, Bala; Evan Powell, Caerfyrddin a Rhys Thomas, Caerfyrddin. Ceir ambell fanylyn ynglŷn â'r awduron ar wynebddalen llawer o faledi'r ddeunawfed ganrif. Rhydd Thomas Roberts ddyddiad ei fedydd yn dilyn teitl *Dwy o Gerddi Ystyriaethol*: 'Argraphwyd yn y Mwythig, tros Thomas Roberts a fedyddiwyd y Mehefin, 5 dydd 1726 yn Llanllyfni'. Mae hyn yn cyd-fynd â'r cofnod canlynol a geir yng Nghoflyfr Plwyf Llanllyfni am y flwyddyn 1726: 'Thomas fab Robt Ellis ac Al[i]ce i wraig a fedyddiwyd y 5 o fehefin'. Mewn baled arall cawn ddwy ffaith ychwanegol, sef bod gan Thomas Roberts frawd o'r enw William a'i fod weithiau yn defnyddio'r ffugenw Tom Arfon: 'Tomarfon ai Cant Brawd Wil o'r tŷ yn y werglodd o Lanllyfni'. Yn y pamffledyn hwn o wyth tudalen a argraffwyd yn Amwythig 'dros Thomas Roberts, o blwŷ yr Bendro sy yn byw yng ngwlad y wandro' dan y prif deitl *Dwy o Gerddi Newyddion*, ceir dwy faled. Teitl y faled gyntaf yw 'Coffawdwriaith am Angeu neu farnad Richard Griffudd o Plwyf Llanedwan yn Sir-Fôn gŵr Parchus mewn Cymariaith gida phob sort o ddynion a Chydig o fawl ir Dafarn ai Gollyngodd o allan gefen y nos iw foddi'. Thomas Roberts yw awdur y faled gyntaf. Gwaith Hugh Hughes yw'r ail faled sef 'Cerdd ar ddull ymddiddan rhwng yr Angeu a'r Pechadur amharodol i ymadael o'r byd Presenol hwn'. Mae'r faled gyntaf i'w chanu ar yr alaw 'Loth to Depart fyrra' a'r ail ar 'Crimson Velvet'.

Mae cerdd Thomas Roberts yn adrodd hanes trychineb a ddigwyddodd pan foddodd Richard Griffith wrth ddychwelyd o dafarn yn nhrymder nos. Dyma'r math o faledi a ysai'r werin am eu prynu; hanesion am drychinebau, llofruddiaethau a brwydrau. Y baledwyr oedd newyddiadurwyr yr oes ac adroddodd Thomas Roberts yr hanes am ddiwedd trist Richard Griffith yn rhagfarnllyd a di-flewyn-ar-dafod gan roi'r bai am y ddamwain yn gyfan gwbl ar ysgwyddau'r tafarnwr 'ai Gollyngodd o allan gefen y nos i'w foddi'. Yn ogystal â bod yn ddarllenwyr newyddion, llanwai'r hen faledwyr gadair y barnwyr a'r rheithgorau hefyd!

> Y Dafarn ydi demel belial
> Cymanfa Diawl a llys y Cythrel
> Lle tyra fil o feddwon anllad,
> I gyd tynu ar Bytteinied.

Mewn pennill arall mae'n colbio'r dafarn am wrthod llety i Fair a Joseff gan edliw:

> Mi ddywedaf hun am Dafarn do
> Heb iwsio ond y gwir yn areth,
> Na chadd Maria lettu noswaith
> I eni tywysog Iesu o Nasareth.

Golchodd y môr gorff Richard Griffith ar raean y glannau ac yno y'i cafwyd gan y gwas, a mawr fu galar Elin Jones:

> Elin Jones fy Drom ei chalon
> Ai thri phlentyn anwul ffyddlon . . .
>
> Ai gwas ai Cadd ar Ro a grauan,
> Yn brudd alarus gofus gyfan,
> Am ei feistir mwyn cariadus,
> Ni chadd er treio un mor weddus.

Teitlau'r mwyafrif o'r pamffledi hyn yn ddieithriad yw Dwy o Gerddi Newyddion. Tybed ai ystyr y gair 'newyddion' oedd 'news' yn hytrach na 'new' am newydd, hynny ydi, cerddi o newyddion?

Daw'r dafarn dan y lach eto gan Thomas Roberts mewn cerdd sy'n dwyn y teitl 'Cerdd o ymddiddan rhwng yr Eglwys a'r Tafarn'. Y dafarn sy'n dechrau'r ymgom a'r Eglwys yn ateb, gan ddilyn y patrwm hwn am chwe phennill ar hugain:

> D. Dydd da fo i'r Eglwys ber lwys burlan
> Priod Iesu Grist ei hunan;

DWY O
GERDDI Newyddion

Perthynafol i'r Amfer. Y gyntaf am yr

HAF SYCH,

yn y Flwyddyn 1762.

Yr AIL, ymherthynas i'r

HEDDWCH,

RHWNG,

LLOEGR, FFRAINC,

SPAIN, PORTUGAL;

Gan ddymuned ei fod er Llès, ac An-
rhydedd i'n Gwlâd ein hunain.
Ynghyd a'r Droganiad am y Flwyddyn
1763.

O Gyfanfoddiad THOMAS ROBERTS, o
Lanllyfni yn Sir Gaernarfon. Rhagfyr 9fed.

CAERFYRDDIN:

Argraphwyd gan EVAN POWELL, yn
Heol-y-Prior, 1762. ei bris yw Ceiniog.

*Wynebddalen un o faledi Thomas Roberts
(Drwy ganiatâd Llyfrgell y Brifysgol, Bangor)*

E. Dydd da fo i titheu'r Dafarn diffaith,
   Yr un Gwr a'n gwnaeth ni a'r unwaith.

ac ymlaen fesul pennill:

E. Mae'r llofrudd, lleidr, godinebwr,
   Yn y Llan o flaen Pregethwr,
   Pob un o rhain yn darllain Llyfrau,
   Meddylit ti mae sanctaidd seintiau
D. Mawr a rhygryf ydyw'r rhagrith,
   Yn heiddu ar falldod farwol felldith;
   Yn y Demel, wyn diniwaid,
   Yn y Dafarn, Du lu diawlaid.

Eglwyswr rhonc oedd Thomas Roberts yn ôl pob tebyg, a'r Eglwys a gafodd y gair olaf yn yr ymryson hon a gyfansoddwyd ar ffurf baled ganddo. Daw ei ymlyniad a'i ffyddlondeb i'r Eglwys Sefydledig i'r amlwg hefyd mewn cerdd a luniwyd ganddo yn erbyn anghydffurfiaeth. Dyma fel y mae'n ei chyflwyno: 'Anogaeth yn erbyn Twyll a Rhagrith y Methodistiaid wedi ei chymmeryd o amryw fannau o'r Ysgrythyr. Cân i'w chanu ar y Mesur a elwir *King's Farwell*, neu Ymadawiad y Brenin', a sicrheir pawb ar ddiwedd y gerdd mai 'Aelodau cywir Eglwys Loegr a'i cant'. Argraffwyd y pamffledyn iddo gan Thomas Durston o Amwythig.

Mae'n debyg fod llawer o gystadlu brwd rhwng y baledwyr a chodai hyn eiddigedd, yn enwedig os oedd amheuaeth ynglŷn ag awduraeth. Ymddangosodd cyhuddiad yn erbyn Thomas Roberts mewn pamffledyn o bedair baled a gyhoeddwyd yn Amwythig dros William Jones dan y teitl *Pedair o Gerddi Digri a Da ich dyfyru Hir Nos Gaua*. Cyhuddwyd Thomas Roberts gan William Jones o 'beiretio' rhai o'i faledi, ond nid oedd hyn yn beth anghyffredin yn ei hanes. Arferai William Jones, yn wahanol i werthwyr baledi eraill, gyfansoddi rhannau o'r llyfrau baledi a werthai a hefyd cyhoeddodd nifer helaeth o lyfrau rhad (*chap books* yn Saesneg) gan eu hysbysebu ar wynebddalen ei lyfrau. Ymddengys nad oedd William Jones ar delerau da gyda'i gyd-faledwyr a chwynai'n aml fod hogiau Wrecsam yn ei boeni ac yn dwyn ei faledi. Ymatebodd Thomas Roberts i'r cyhuddiad a wnaed yn ei erbyn drwy gyhoeddiad a ymddangosodd ar wynebddalen taflen sy'n cynnwys dwy gerdd, y gyntaf gan John Evans, Clochydd Llanfaglan a'r ail gan Samuel Pierce o Feddgelert:

Hyn ydwyf fi yn hysspyssu ichwi fôd y Bedlemod yn codi celwydd a Thomas Roberts o Lanllyfni o achos ei fod ef yn gwneud y goreu o'i amser a hwn a glowoedd y Prydydd ac y Hysspyssodd i'r gwledydd.

Argraffwyd nifer sylweddol o gerddi ar gytundeb rhwng yr awdur a'r canwr. Nid oedd pob canwr yn awdur, na phob awdur yn ganwr. Mewn cytundebau o'r fath gwaith y canwr oedd mynd â'r gerdd i gael ei hargraffu, ac yna gwerthu copïau ohoni mewn ffair a marchnad wrth ei chanu. Os gwaith cyfansoddwr arall a ganai'r baledwr, yna nodwyd hynny ar y daflen, er enghraifft, 'Argraphwyd yn y Mwythig tros Thomas Roberts o Lanllyfni'. Byddai enw'r cyfansoddwr fel arfer yn ymddangos ar ddiwedd y gerdd, ond argraffwyd llawer baled o waith beirdd anhysbys.

Er bod enw William Roberts, brawd Thomas Roberts, Llanllyfni yn ymddangos ar ambell daflen-faled fel gwerthwr, mae'n amlwg nad oedd ei gyfraniad ef mor doreithiog â'i frawd. Mae sicrwydd iddo ganu cerddi o waith Hugh Jones Llangwm a argraffwyd yn Amwythig dan y penawdau: 'Ymddiddan rhwng y meddwyn a Gwraig y Dafarn, ar ôl i'r Arian Ddarfod' a 'Dechrau Cerdd ar Ffansi'r Milwyr o alarnad merch Ifangc ar ôl ei myrwindod' ac ar ddiwedd cân arall o waith baledwr anhysbys ceir y llinellau canlynol:

Rhiw un gwirion ay ysgrifenodd
Ni waith yn wir ar Dir pwu Canedd

Daw enw Wil i'r amlwg eto ar wynebddalen baled anhysbys wrth i'w frawd, Thomas, ddatgan ei ddiddordeb mewn canlyn anterliwt, cangen arall boblogaidd o adloniant gwerin yr oes:

Mae Eisie Cael Henwe saith o Lancie o Blwy Bangor a fytho am Chware Enterluwd yr Hâ nesa mi fyddaf yn ffŵl fy Hun, yr hwn wyf brawd Will o'r Ty'n y Werglodd.

Roedd Thomas Roberts, felly, yn arfer un arall o'i ddoniau, sef actio mewn anterliwtiau o amgylch y wlad gan hawlio rhan y prif gymeriad, sef y ffŵl, ac yn ddiau yn cymryd rhan flaenllaw yn y trefnu.

Un arall o faledwyr plwyf Llanllyfni oedd Hugh Roberts y teiliwr, awdur cerdd sy'n dwyn y teitl 'Cerdd yn adrodd Cyflwr yr Enaid anychweledig yn Uffern: Yw chanu ar Grimson Felfed'. Yn ei *Bibliography of Welsh Ballads* mae J.H. Davies yn priodoli dwy o'r cerddi a ymddangosodd dan y teitl 'Tair o Gerddi Newyddion' i Hugh Roberts. Dyma'r cyflwyniad:

Yn Gyntaf, Cerdd ar ddull ymddiddan rhwng yr Arch Goch a'r Eryr, bob yn ail penill, fel ag y calun. A. am Arch, ag E. am Eryr, ar leave Land; neu adel Tir. Yn Ail, Cerdd ar ddull ymddiddan rhwng dau hen gyfaill oedd yn cario Yd i'r Mor un ar y Tir, ar llall ar y Mor, ag fel y maent yn cyttuno ai gilidd mewn amriw o weithredoedd fel ag y canlun am eu henwau, Wiliam ag Elis, E. am Elis, W. am Wiliam, ar falldod Dolgelleu. Yn Drydydd, Cerdd o hanes yr Hela dirgri y fu yn Rheffynnon. Ar farnad yr Heliwr. Argraphwyd yn y Mwythig gan Stafford Prys tros Thomas Roberts, 1758. *(Price one Penny.)*

Yn dilyn mae troednodiad gan J.H. Davies fel a ganlyn:

*8pp (1) and (2) by Hugh Roberts of Llanllyfni, (3) is not printed in the copy seen by me, but as the last page is blank, it may have been inserted in other copies. This ballad is unique as to typography, as it is printed partly in black ink and partly in red ink. The word 'Cerddi' and the imprint on the title page are in red ink, the rest of the title page is in black.*

Mae'n amlwg o ddarllen hyn fod J.H. Davies yn argyhoeddedig mai'r ddwy gerdd gyntaf yn unig oedd piau Hugh Roberts Llanllyfni, ond nid yw Myrddin Fardd o'r un farn. Yn ei gasgliad gwerthfawr o faledi a restrodd yn *Y Traethodydd* rhwng 1886 ac 1892 mae'n dweud yn bendant mai 'Hugh Roberts o Lanllyfni' yw awdur y tair.

Yr wyf wedi crybwyll eisoes mai dau frawd oedd Thomas Roberts a William Roberts a drigai yn Nhy'n y Weirglodd ym mhlwyf Llanllyfni. Er bod Hugh Roberts y teiliwr o'r un cyfenw â'r ddau arall, ni welais dystiolaeth hyd yn hyn sy'n cadarnhau honiad Gwallter Llyfni eu bod yn dri brawd. Ymddengys hyn mewn teipysgrif sydd ar gadw yn Adran Llawysgrifau Llyfrgell Prifysgol Bangor (5366) lle mae'r awdur yn rhoi disgrifiad o'r ddau Dy'n y Weirglodd sydd ym mhlwyf Llanllyfni:

1. Rhan o Ben y groes islaw y rheilffordd i Nantlle. Enw arall ar lafar *Needle Town*.
2. Tyddyn bychan yng ngodre'r Cymffyrch, cartref y tri hen faledwr Will, Tomos a Hugh Roberts.

Mae'n eithaf posibl mai'r tyddyn wrth odre'r Cymffyrch, llechwedd creigiog rhwng Llanllyfni a Nantlle, oedd cartref y baledwyr, ond mae'n werth ystyried y Ty'n y Weirglodd arall. Wrth yr enw Ty'n y Weirglodd yr adnabyddir rhan o bentref Pen-y-groes hefyd, a rhoddwyd y llysenw *Needle Town* ar y lle gan yr hen drigolion am fod nifer o deilwriaid yn arfer byw yma mewn cyfnod a fu, a rhaid cofio mai teiliwr oedd Hugh Roberts. Gan na welais yr un dystiolaeth i gadarnhau gosodiad Gwallter Llyfni mai'r tyddyn wrth odre'r Cymffyrch oedd cartref y baledwyr, yna eithaf teg yw cysylltu *Needle Town* ag enw Hugh Roberts y teiliwr.

Nid yw enw pentref Llanllyfni wedi ei roi ar bob un o'r baledi o waith Hugh Roberts, ac ni allaf ond damcaniaethu mai'r teiliwr o'r Llan yw'r cyfansoddwr bob tro, ond mae Gwallter Llyfni yn hollol argyhoeddedig mai'r un oeddynt.

Dyma rai o gynhyrchion Hugh Roberts allan o bamffledyn wyth tudalen sy'n dwyn y teitl *Dwy o Gerddi Newyddion* a argraffwyd yng Nghaerleon gan Thomas Huxley 'yn agos i Borth y Dwyrain':

1. Annerch Hugh Roberts i Thomas Edwards, y Prydydd, yn ei Drwblaeth yn Llaw ei Feistr-Tir.
2. Cerdd o Hanes Tafarn-Wraig a hapnodd fod yn Fysgrell yn Achos Cimmwch . . .

Cenid y faled gyntaf ar y dôn 'Gwel yr Adeilad' a'r ail ar 'Farwnad yr

Heliwr' ac maent yn enghreifftiau sy'n dangos amryfal ddawn yr hen deiliwr o ganu yn y lleddf yn ogystal ag yn y llon, fel bo'r angen.

Er nad oes dim yn y gerdd i gadarnhau hyn, mae Gwallter Llyfni yn datgan mai'r 'Thomas Edwards Prydydd' y sonnir amdano yw Twm o'r Nant, ac o dderbyn hyn mae'n debyg mai sôn y mae'r awdur am helyntion yr anterliwtiwr cyn iddo symud i fyw i dde Cymru gan weithio yn Abermarlais a mannau eraill. Mae'r flwyddyn 1767 wedi ei nodi ar y copi o'r faled a welais ymysg casgliad Thomas Shankland ym Mangor.

Yn y faled gyntaf mae Hugh Roberts yn annog Thomas Edwards i gymryd cysur yn y

> Rhyfeddol Foddion
> Ag Ewyllys mwy na gallu

sydd ar gael i 'bob Cristion gole ei Galon' gan fod y 'Moddion gantho os mynn' i

> Frawd mewn Iaith gyfrodedd
> Pan fo mewn Sadwedd synn.

Mae'n debyg fod manylion helynt Thomas Edwards yn wybyddus i'r hen deiliwr pan ddywed heb fanylu gormod:

> O hyd mae Rhwystre Bagle'r Byd,
> Yn denu Dynion i fil o Ofalon,
> A mawr Beryglon efryddion . . .

> A llawer wrth Drybayddu,
> Sy yn glynu yn y Glyd, . . .

Os gallwn gymryd y gerdd hon fel adlewyrchiad o gymeriad Hugh Roberts, yna mae'n rhaid derbyn ei fod yn berchen ar ffydd ddiffuant ac yn tosturio dros gyflwr trallodus ei gyfaill gan ei argymell i 'hyderu yn yr Arglwydd' gan fod:

> Duw yn codi oi Bryntni ai Briw,
> Yr isel Radde o'r amal Rwyme,
> Gan roi iddun Freintie
> Ar fawr Ddefode i fyw
> Nid byrech moi Drugaredd,
> I tithe, Wr clafedd, clyw.

Mae'r ail gerdd yn y pamffledyn i'r gwrthwyneb yn dra doniol ac yn gignoeth ddisgrifiadol ar brydiau wrth roi hanes tafarnwraig yn cael profiad poenus mewn rhan go dyner o'i chorff!

> Am wreigan wych hynod, fy yn cadw Tŷ Diod,
> Ei Chwrw hi a'i Bragod oedd barod a'i Bîr;
> Daeth hên Bysgodwr, Broliwr brych,
> Dan alw am Gwrw yn waeth nag Ych . . .

A hwn oedd horwth safnrhwth sych,
Yw hanedd wych heini:
Ag ar ei Gefn roedd anferth Gŵd
Yn llawn Cymhychied brathied brŵd,
A'r hen Wâs gwych a roes ysgŵd,
I'r Grigwd iw grogi.
A'r Hên-ddyn pen chwiben pan gafodd o'r Gwppen,
Hoff liwger ar Fflagen gron lwydwen yw Law;
Ni cheisiodd fawr hidio a'r Cwd nag oedd ynddo,
Ond dyfel ymgommio doeth ruo tye thraw;
Un o'r Morwynion union aeu,
Cowire Gwledd 'rol cyweirio'r Gwlau,
A'r Potie ar Golch i Din y Caeu . . .

Wedi cwblhau y gwaith hwn, a arferai fod yn orchwyl cwbl hanfodol mewn tafarn a thŷ cyn dyfodiad toiledau *en suite*, fe afaelodd y forwyn yn y cimychiaid a'u gosod fesul un yn y pot gwag:

A honno a gymerth gyda i Llaw,
O'r Cymhychiad wyth neu naw,
Yn y Pott heb ronyn braw,
Oes hylaw i'r Seler.
A nhwytheu oedd yn fywion yn Bryfed anhirion,
Ai Gwinedd yn geimion a chreulon a chru.

Gosododd y forwyn y pot o dan fainc y casgenni, heb feddwl mwy amdanynt, ond toc daeth nifer o deithwyr i'r tŷ:

Dan ledu eu Traed grun lond y Tŷ
A phawb yn fywiog yno a fŷ . . .

Yn y cyfamser cawn fod y dafarnwraig mewn tipyn o helbul yn ceisio ei gorau ddod o hyd i 'dŷ bach' a hynny ar frys:

Roedd rhaid i'r Wreigen groenwen grib,
Oedd fynwych wedd roi mynych wib . . .

Wrth gwrs, roedd y cyfleuster y chwiliai'n eiddgar amdano yn y seler yn llawn cimychiaid, ond ni wyddai hi ddim am hynny, ac yn y man:

Pan gafodd hi Gyfle i'r Seler hi rede,
Rhoe'r Pott rhwng ei Choese lle gwyre hi ar gais;
Ond un o'r Cymhychiad a droes ar ei harffed,
Fe melodd yn galed yn ffowsed ei Ffais.

Gwaeddodd a neidiodd yn ei dychryn gan greu y fath gynnwrf:

Mewn araeth gynddeiriog
Curo a llichio hyd y lle . . .

. . . A dweud fod Afangc Grafanc gre,
Neu Bele yn ei balog.

Daeth y forwyn o rywle ac anfonodd bawb allan yn ddiseremoni, a phan
ganfu beth oedd yn bod aeth allan i gyrchu'r meddyg, ond wrth iddo
wyro i archwilio gafaelodd y cimwch yn sydyn yn ei drwyn; yr oedd y
ddau yn awr yng nghrafanc y cimwch:

Un yn bloeddio ar farw'n fwyn
A'r llall a'i Llaw ar Gwrr ei Llwyn,

Y forwyn a ddaeth i'r adwy unwaith yn rhagor gan fynd at gymydog am
gyngor a daeth yn ôl i'r dafarn i mofyn gweill gig:

A gyr di honno, doed a ddel,
Dan Wraidd ei Gynffon yn ddi-gel,
Daw y wraig a'r Gwr mor siŵr o'r sêl,
O'r Gafel a'r Gofid.

Ac felly y llwyddodd y forwyn i ryddhau'r ddau o grafanc y cimwch, ac i
ffwrdd aeth y meddyg gan rwbio'i drwyn, a'r wraig i'r 'Gwely yn un
Gowled'.

Dywedodd rhywun wrth Hugh Roberts un tro, pe medrai bwytho
brethyn cystal ag y gallai bwytho cerdd y byddai'n deiliwr go dda. Hugh
oedd y bardd gorau o'r tri ond Twm oedd y canwr:

Dyma ddrych, edrych dy oedran, – y dyn
A 'dwaenost di'th hunan?
Praw dy gyflwr drwg aflan
Heno a gwel hyn o gân.

Os cwyno, rhuo bydd rhai – yn ddygyn
Am ddwygerdd oddiarnai,
Na fernwch hon wyr llon yn llai
Gan Domi na gwerth dimai.

Yn dilyn yr uchod ceir y nodyn doniol a ganlyn:

Hyn yr wy'n hyspyssu i chwi fod Deial ar werth mewn dwy filldir o
Gaernarfon lle y gelwir y Bont newydd, ac arni hi wybod pa faint y
mae'r Haul yn rhedeg yn y munud, a Deial arall am y nos i wybod pa
faint y fydd hi o'r gloch wrth y ser a'r Lleuad. Gan John Thomas y
maynt. Argraffwyd yr uchod tros Thomas Roberts o Lanllyfni.

Codwyd yr englynion a'r paragraff uchod o deipysgrifau Gwallter Llyfni
sydd ar gadw yn Adran Llawysgrifau Prifysgol Bangor.

Mae enw Harri Owen yn ymddangos ar chwe phamffledyn yn
cynnwys deuddeg baled a argraffwyd gan Dafydd Jones, Trefriw, rhwng
1778 ac 1785, a'r oll yn dynodi mai gwerthu baledi ydoedd yn hytrach
na'u cyfansoddi. Mae prawf o hyn mewn englyn a gyhoeddwyd mewn

pamffledyn dwy faled a argraffwyd gan Dafydd Jones, Trefriw yn 1785. *BALAD NEWYDD yn Cynnwys dwy o Gerddi* yw'r pennawd a'r faled gyntaf yw 'Ymddiddan rhwng *Susan a Wm.* wedi ei diwygio ai chwanegu o amryw eirieu a Phenhillion' ac i ddilyn daw'r hysbyseb sy'n cynnwys enw'r gwerthwr:

> Hanes Susan lân y leni, foddus
> Na fydded neb hebddi,
> Tyrrwch yn nês at Harri
> Mae hon i chael am Ddime i chwi.

Nid oes dim yn y pamffledi hyn i awgrymu mai o Lanllyfni y deuai Harri Owen, ac mae paragraff gan Carneddog yn rhagair ei lyfr *Cerddi Eryri* yn tystio na fu 'Canwr Cerddi o ardal Bedd Gelert yn dilyn ffeiriau Cymru, ond y mae sicrwydd fod yma ddatgeiniad medrus gyda'r delyn, ynghyd a hen Alawon, a Chaneuon Gwerin. Ceir hanes am "Harri Owen o Fedd Gelert" fel gwerthwr cerddi a llyfrau hyd y wlad, yn amser Dafydd Jones Trefriw'. Ceir yn y cylchgrawn *Cymru* (28/63) hefyd nodyn am y baledwr 'Harri Owen o Feddgilart 1781'.

Ond mewn pamffledyn arall dan y teitl *Dwy o Gerddi Newyddion* a argraffwyd yn Amwythig ar ran Thomas Roberts yn 1758, y gyntaf 'Cerdd yn Erbyn Tyngu' o waith Jonathan Hughes a'r ail 'Dechreu Cerdd o hanes Gŵr Ifaingc a gollodd ei Glos wrth garu merch o Lanhrwst oedd yn Reffynnon ar Leave Land', ceir mai 'H.O. o Llanllyfni ai Cant'. Mae'n hawdd inni gael ein temtio i gredu mai Harry Owen yw'r H.O. yma, ond gall y llythyren H olygu enw Hugh neu Humphrey hefyd. Peth arall, rhaid cofio mai o gwmpas 1780 yr oedd Harry Owen yn ei flodau tra bod H.O. wedi argraffu ei faled yn 1758 – ddwy flynedd ar hugain yn flaenorol. Mae un peth fodd bynnag yn bendant; gallwn gyda sicrwydd ychwanegu enw H.O. at dalwrn baledwyr plwyf Llanllyfni.

> Cyrchaist y ffeiriau pellaf
> I werthu dy gerddi maith,
> Dyhidlais win dy awen
> I lestru'r dafarn laith.

Daw'r pennill uchod o'r llawysgrifau y bûm yn eu darllen ym Mangor. Nid oes enw awdur wrtho ac fe'i cynhwysais ef am ei fod yn cyfleu, mewn pedair llinell, hynt y baledwr.

## Cerdd o hanes Gŵr ifaingc a gollodd ei Glos wrth garu, ar Leave Land

Pob carwr mwyn ciwrus sy'n treinio yn yr ynys
Gwrandawed trwy ewyllys yn rymmus eu rann
Ceiff hanes yn eglur am un oi wir frodyr
A elwir air to ur y trwstan
Roedd Gwyddel or Iwerddon o ddeutu tref ffynnon
Do nesodd rhiw noson yn dirion ei daith
At lodes lan heini ai frud yn ddioedei
I gael dofi neu dorri Naturiaeth
At ffenest lloer oleu yn gywraint fo garcheth
A hithau iddo agoreu mae'r geiriau mewn [ ]
Ac yno yn ddigelu by wisgedd ymwasgeu
Nes myned i'r gwely mi goelie
Gan awydd eu chwareu gadawodd y drysau
Fy yn glaear heb gloeu na barrieu yn ddiball
Tra dwad heb omedd at garu by'n gwyredd
Yr annedd lwngcuredd langc arall
Fe fedroedd y llwybrau at welu lloer oleu
Wrth deimlo yr Cadeiriau fo clyweu yno Glos
Y dyn pan eu teimlodd eu galon a giliodd
Llw ychodd a dychrynodd dechreu nos
Pan glywodd y fargain fy gollodd tu ag allan
Y clos ar ei gefen yn llydan mewn llud
I gwydde am eu einioes pa fodd hyd ddiwedd – nos
Y byddeu iddo yr achos eu iechyd
Pan gododd y L'engcyn o barlwr cwm deulin
Chwilio am eu glosyn mewn dychryn a dig
Fe gafodd fynd adre carlopiwr carlipeu
Yn din noeth y bore trwy'r barrig
Y llancieu diofal dyna i chwi siampal
Rhag cwymp ir un fagal ar drafal yn dre
Os ewch i tin defach meddyliwch pawb pellach
Am gadw yn daclusach eich closau.

H.O. o Llanllyfni ai Cant    [Cerddi Bangor 15 (42)]

Codwyd y gerdd uchod yn union fel y mae wedi ei hargraffu ar y pamffledyn, mewn Cymraeg trychinebus o wael ei ansawdd. Dylid cofio mai Saeson a weithiai yn argraffdai Amwythig a threfi eraill y gororau bryd hynny ac felly rhaid priodoli'r brychau yn rhannol os nad yn gyfan gwbl iddynt hwy yn hytrach nag i'r baledwr Cymreig.

I'r ddeunawfed ganrif y perthynai Michael Prichard o Lanllyfni hefyd a chlywais o leiaf un hanesydd lleol yn cyfeirio ato fel baledwr, ond wrth ddarllen ei waith buan iawn y gwelir arweddau barddol o safon uwch na'r clerwyr ffair arno.

# Y Llencyn o'r Llan (Michael Prichard *c.*1710?-1733)

Mae amryw o ffeithiau sy'n dadlennu personoliaeth a hanes unigolyn yn deillio o'i lythyrau, a da o beth yw bod rhai o lythyrau Michael Prichard wedi goroesi. Cyhoeddwyd un ohonynt yng nghyfrol 25 o *Cymru* ac ynddo ceir sawl ffaith ddiddorol am y llanc ifanc o'r Llan. Mae'r llythyr wedi ei ysgrifennu gan Michael yn Llanllyfni ar y 14eg o Ragfyr, 1728 a'i anfon at Margaret Davies o'r Goetre (1700-85?; ei chartref oedd Coetgae Du, Trawsfynydd), bardd a chasglwr llawysgrifau. Dengys bod Margaret yn rhoi gwersi cynganeddu i Michael ac wrth ddarllen drwy'r llythyr gwelir eu bod ar delerau da ac yn dra chyfeillgar â'i gilydd. Cyfarcha Michael hi fel 'Yr Odidawg-ferch awenyddgar' cyn bwrw 'mlaen i ddiolch am y 'cynghorion cynganeddgar' a dderbyniodd ganddi. Mae'n cyfaddef nad yw'n fawr o fardd ac na fu neb o'i deulu yn fardd chwaith cyn belled ag y gwyddai. Mae'n amlwg felly nad oedd gan Michael fawr o feddwl o'i dad, y clochydd Richard William, na'i ewythr Morris William fel beirdd gwerin. Doedd ganddo fawr o feddwl ohono'i hun fel bardd chwaith yn ôl ei gyfaddefiad i Margaret Davies: 'Bydded hysbys i chwi nad wyf fi fardd, ag ni bu neb o'm hynafiaid i feirdd erioed hyd y clywais i', meddai gan ychwanegu, 'Deallwch nad wyf fi na phosfardd nag arwyddfardd na chadair-fardd ychwaith, na gradd yn y byd o'r cyfryw gelfyddyd orchestol'. Ond dengys y cyfansoddiadau o waith Michael Prichard sydd wedi goroesi ac sydd ar gadw yn Llyfrgell Genedlaethol Cymru ac yn y Llyfrgell Brydeinig ei fod yn fardd o radd uwch o lawer na mwyafrif beirdd y cyfnod. Un arall a fu'n athro barddol iddo oedd Owen Gruffydd (1643-1730) o Lanystumdwy a phan fu farw Owen canodd Michael farwnad iddo ar ffurf cywydd a oedd, yn ôl y diweddar Athro Thomas Parry, yn 'gywrain iawn o ran ei grefft, a thipyn o ryfeddod, a chofio nad oedd yr awdur ond rhyw un ar hugain oed ar y pryd'. Yr oedd felly, er ei holl wyleidd-dra, yn ddigon cyfarwydd â hen grefft Beirdd yr Uchelwyr.

Llencyn deunaw oed oedd Michael Prichard felly pan ysgrifennodd at Margaret Davies, ond mae lle i gredu eu bod wedi cyfeillachu ers cyfnod cynharach. 'Mi a fyddaf mor hyf a'ch trwblio chwi eto a'm herchylltol anoeth ysgrifen gywilyddus flotiedig anghywreinllaw chwith-fodd,' gan gydnabod ei ddyled iddi am ei chymorth.

Er nad oedd Michael yn cydnabod hynny yr oedd ei dad, sef Richard William y clochydd a'r gwehydd, yn ymdrin tipyn â barddoniaeth, a hefyd yn casglu a chopïo hen lawysgrifau. Mae ar gadw yn y Llyfrgell Genedlaethol ysgriflyfr o'i waith (Peniarth 244) gyda'r teitl *The Book of Richard Wiliam, clochydd Llanllyfni (1735)*. Cynnwys y llawysgrif waith beirdd fel William Cynwal; Hugh Lloyd Cynfal; Dafydd ap Gwilym; William Elias Clynnog; Owen Gruffydd, Llanystumdwy; Edward Morris,

Perthi Llwydion; David a Richard Parry; Richard Phylip; Michael Prichard [ei fab]; T. Rowland Prys; Sion Rhydderch a Siôn Tudur.

Ceir ymhlith y tudalennau rai trioedd ac englynion eithaf doniol, rysáit ar gyfer gwneud inc a rhybudd i'r sawl a fynnai fenthyca'r llyfr. Gwan iawn yw'r afael ar orgraff a chynghanedd:

> Na ddygwch y llyfr hwn er dim i mae fy nymuniad na welwch ynddo a'ch llygad mwy nag o wadna' eich traed os dygwch ef. Richard William his hand.

### Y ffordd i wneud inc

> Cymerwch 5 o ounau o goals a 3 o gobras
> Molwch hwynt mewn mortor yn bur fân
> A 2 ouns o gum arbigg wedi'i tori'n fân
> A rhoddwch mewn tri pheint o ddŵr glaw
> A rhoddwch mewn potel a chaiwch arno
> fel nad el y gwynt ato / oni efo eith
> yn fwdyn, ag ysgydwch ef dros 13 o ddyrnodiau
> O'ddyno gallwch ei iwsio fo pan a fynnoch.

### Englyn i'r cwrw

> Mwyn dirion foddion fyddi, nodedig
>    Da ydyw dy brofi
>    Ond anhawsach fydd nodi
> Wrth awr ymadael a thi.    [sic]

> Gwaddol ragorol y gwyr o afiaeth
> A yfo yn gymhesur
> Drwy awch nas drecho natur
> I'r meddu parch moddion pur,

> Os dowch i blwy Llanllyfni i garu meinir fwyn,
> Ceisiwch ffon a chledda a cha'b i gadw'ch crwyn,
> Mae yno langciau lysti a gyll eu gwaed yn ffri,
> Am hynny tariwch gartra os g'newch fy nghyngor i.

Mae'n rhaid bod y diddordeb oedd gan Richard William mewn prydyddu a chopïo llawysgrifau o waith yr hen feirdd wedi ennyn diddordeb ei fab, ond nid oedd safon gwaith barddol ei dad a'i gyfeillion yn dderbyniol gan Michael a dyna a'i hysgogodd i geisio gwella ei hun. Mae llawysgrif 169 tudalen sy'n cynnwys gweithiau'r hen feirdd a gasglwyd gan Michael Prichard ar gadw. Bu'n gweithio arni rhwng 1726 ac 1729 ac fe ysgrifennodd hefyd eirlyfr. Dyma a ddywed Owain Gwyrfai am y rhain:

> Mae llawysgrif o'i waith gennym, lle gwelir ei fod yn gasglwr ar waith yr hen feirdd. Yn nechrau y casgliad dywed, 'Llyfr o hen areithiau a chywyddau a gasglwyd gennyf fi Michael Prichard, o Lanllyfni. Yn y

flwyddyn 1726 y dechreuais ef'. Rhif y dalenau ydynt 169, o blyg bychan. Ar ol hynyna, ysgrifennodd eirlyfr bychan, gan ddywedyd yn y dechrau. 'Llyma bart o'r hen eirlyfr Cymraeg, o'r iaith arferedig wrthi . . . ' Ymddengys mai geiriau anghyffredin i'r oes ac ardal Gwynedd ydynt gan mwyaf. Gwelwn eirlyfr cyffelyb os nad yr unpeth, o gasgliad Mr Owen Gruffydd Llanystumdwy, A.D. 1670. Ond am y casgliad geiryddol uchod dywed Mr Prichard. 'Mae yna 370 o eiriau a dynais o lyfr Thomas Prys, o Blas Iolyn, Esq., yn y flwyddyn o gnawdoliad y Gair, 1729, Michael Prichard'.

Dyma'r cyfnod yn ôl Siôn Prichard Prys o Langadwaladr (fl. *c.*1704-21) pryd y 'Llygrwyd y prif eiriau . . . drylliwyd y mesurau, dirymwyd y cynganeddau . . . llescaodd y gelfyddyd', ac roedd Siôn Rhydderch (1673-1735) hefyd yn gofidio am golli'r iaith. Does ryfedd felly i Michael Prichard geisio gan Margaret Davies ac eraill ymestyn ei ddawn yn ôl y rheolau barddol cywir gan ymdebygu ei hun i bysgodyn bychan 'mewn ffrwd sych yn min tagu o eisiau dwfr i'w yfed ag i'w nofiaw yma a thraw i'm maethu ag i'm cynnyddu'.

Cynhaliwyd Eisteddfod Gadeiriol ar yr 2il o Fedi, 1728 mewn tafarn nid nepell o gartref Michael Prichard yn Llanllyfni. Dyma gyfnod Eisteddfodau'r Almanaciau a ddaeth i fod yn dilyn ymroddiad Siôn Rhydderch a'i gefnogwyr mewn ymgais i geisio achub y traddodiad barddol rhag difancoll. Dyma flwyddyn cyhoeddi ei *Rammadeg*. Bu'n teithio'r wlad gan hyrwyddo eisteddfodau a cheir ganddo fanylion am y math o gyfansoddiadau a oedd yn dderbyniol yn ei lyfr newydd.

Digon siomedig oedd Michael Prichard yn yr eisteddfod a gynhaliwyd 'yn y nos gan ein cymdogion gorchestol ni uwch ben ei cwrwf wedi meddwi', a dywed bod ei dad, Richard William, yno yn ymgeisio am y gadair: 'Ymysg y beirddion trwsgl-fodd, y rhai ni fedrant lunio na phlethu cynghanedd, fraidd gyffwrdd na gwneuthur dyrif na phennill fawr well na minneu . . . '. Mae'n debyg bod Margaret Davies wedi clywed bod Michael yn bresennol yn y cyfarfod ond gwadu wnaeth yntau gan ddweud:

> Chwi a gamglywsoch amdanaf fi fy mod yn eu mysg yn ofer-ddadwrdd, oherwydd na byddaf fi arfer o fod yn y fath le un amser, ag nid cymwys oedd im fod gydag efryddion meddwon afradlon diddaioni o'i bathau nhwy, gan nad oedd ond addysg ddrwg yn eu mysg i fachgen ieuaingc disynwyr o'm bath i, canys cymhwysach a diddanach oedd gen i fod gartref yn fy ngwely.

Yn ôl Michael, cael clywed am y cyfarfod yn ddiweddarach 'gan un yn ddistaw ddirgel' a wnaeth, a'i siarsio i beidio dweud wrth neb. Lluniodd chwe englyn i ddychanu'r achlysur, a digiodd y beirdd eraill wrtho am wawdio eu heisteddfod a'r bardd cadeiriol:

Pob celfydd brydydd o'n brodir – gwiwlan,
       Ag eiliad cyson-glir,
   Lluniwch bennod o glod glir,
   Diasgloff, i fardd dwys-glir.

Cadeirfardd 'n brifardd a brofwyd – pos fardd
       Hapus-faith a farnwyd;
   Gŵr hynaws, fe'i gwir henwyd,
   Ar fwrdd y llys, 'Eurfardd Llwyd'.

'Mryson brydyddion brwd addysg – a fu,
       E feiodd eu dyfn-ddysg;
   Tarfodd y rhain o'i terfysg
   Trwy reol ei ddoniol ddysg.

Gosodwyd, codwyd mewn cadair, – f'anwyl
       I fyny drwy fawr grair,
   Rhoddwyd bloedd o gyhoedd-air
   O'i flaen unwaith, dwywaith, dair.

Pen cerdd pob eur-gerdd pybyr-gall yw hwn,
       A'i hanes yn ddiball,
   Cweiriwr an-gerdd cowrein-gall
   Ydyw'r prydydd celfydd call.

Perchwch a gwelwch mai gwiw-lan – yw'r bardd
       Ar beredd awen-gân,
   Parod eiriau mwysau mân,
   Sain eur-gall fel sŵn organ.

Daw awen ddychanol Michael i'r amlwg yn yr englynion hyn, ac o
ddarllen ei lythyrau a'i farddoniaeth, ceir darlun gweddol glir o
bersonoliaeth llanc ifanc deunaw oed yn ysu am addysg, ond ar yr un
pryd yn reddfol brofoclyd, ac yn cael pleser wrth ysgrifennu. Rhaid sylwi
hefyd bod ei lythyrau wedi eu hysgrifennu'n uniaith Gymraeg; gwahanol
iawn i'r cymysgedd o Gymraeg a Saesneg a geir gan Gymry eraill o'r un
oes. Roedd Margaret Davies yn bendant ei barn mewn llythyr at Ddafydd
Jones o Drefriw fod 'pawb yn leicio bod yn saeson yn well na chymry'.

Wn i ddim faint o addysg ffurfiol a gafodd Michael Prichard ond o
gofio ei oed a'i safle o fewn y gymdeithas, roedd wedi meistroli'r iaith a'r
cynganeddion yn rhyfeddol o dda.

Mae ei lythyr at Margaret Davies yn llawn cydnabyddiaeth iddi fel
athrawes farddol, ond prin ydoedd sir Feirionnydd hefyd, yn ôl ei barn
hi, o feirdd a allai lunio cynghanedd gywir. Ateb Michael Prichard oedd
fod y gair 'Meirion' yn gyfystyr â 'Beirddion' ac enwodd Ellis Wyn fel
enghraifft o un o lenorion enwocaf y sir.

Hoffai Michael ganu clodydd merched a cheir y teimlad wrth ddarllen
ei 'Gywydd i Ferch' fod ei deimladau'n byrlymu, fel mae ei lythyr at

Margaret Davies yn tystio: 'Eich caru chwi y merched sydd naturiol i ni y meibion erioed yn ddiameu. Nid cymhesur yw i neb feddwl amgenach na hynny, oherwydd merch yw mam pawb'. Mae lle i gredu i'r ddau gyfarfod o leiaf unwaith. Treuliodd Margaret Davies lawer o'i hamser yn ymweld â chartrefi ei chyfeillion a mân uchelwyr Meirion ac Arfon, ac mae'n ffaith iddi ymweld â Michael Prichard a bwrw peth amser yn ardal Llanllyfni yn 1729. Cynnwys Llawysgrif Caerdydd 66 gasgliad o gywyddau ac englynion wedi eu hysgrifennu tua diwedd yr ail ganrif ar bymtheg gan John Davies Bronwion. Roedd y llawysgrif hon ym meddiant Margaret Davies yn ystod 1729-30 yn ôl y nodyn sydd ar dudalen 408: *'Margaret Davies of Coedcaedu her Book Witness by me Michael Prichard 1729'*. Gwelir englynion o waith y bardd ifanc yma ac acw ymysg y tudalennau, un o dan y teitl 'Englyn i ferch oedd yn mynd â phâr o esgidiau o Lanllyfni i Drawsfynydd 1729'.

Gwehydd fel ei dad oedd Michael Prichard ond nid arhosodd yn y grefft honno yn hir. Richard William hefyd oedd clochydd y Llan a chartrefai'r clochyddion bryd hynny yn ôl y sôn mewn bwthyn o'r enw Tan y Fynwent oedd yn arfer bod ar safle'r rheithordy diweddarach. Yn wal y fynwent rhwng Capel Eithinog a'r rheithordy, o dan drwch o eiddew, mae llechen â'r geiriau canlynol wedi eu naddu arni: 'Y GARREG A LEFA Ô'R MÛR'. Yn yr hen amser roedd llwybr yn cael ei gysylltu â chamfa yn arwain o Dan y Fynwent i fynwent yr eglwys a'r garreg gamfa, meddir, oedd y garreg â'r ysgrif arni a welir yn y wal heddiw. Gyferbyn â'r gamfa ar fur Capel Eithinog roedd delw o Sant Rhedyw ac wrth groesi'r gamfa byddai'r addolwyr yn penlinio gerbron y ddelw ac ymhen amser erydwyd pen y garreg yn gafniog. Credir mai hen garreg fedd yw'r garreg yn y wal lle penliniodd llawer i offrymu gweddi.

Yn ogystal â Margaret Davies ac Owen Gruffydd bu Lewis Morris (un o'r Morrisiaid Môn enwog) hefyd yn cynorthwyo Michael Prichard gyda'r cynganeddion. Erbyn 1730 roedd Michael wedi cefnu ar ddysgu crefft y gwehydd ac wedi symud i ynys Môn fel garddwr i William Bulkeley, Bryn Du. Yn ei gofiant byr i'r bardd mae Dafydd Ddu Eryri yn dweud fel hyn:

Damweiniodd i Fichael ap Rhisiard, llanc ieuanc o wehydd o Lanllyfni, fyned unwaith i rodio i gyfreithfa Beaumaris. Cyfarfu yno â'i gymydog Ffowc Jones yr Udganwr, yr hwn a ofynodd iddo, 'Michael, ymhle mae'r meichie?' Michael a atebodd, 'Wrth fy llaw draw yn y dre.' Pwy ddamweiniodd fod yn gwrando ond William Bulkeley o'r Bryndu, ger bron yr hwn oedd ei hun yn fardd, ac yn achlesu Beirdd a barddoniaeth. Mr Bulkeley yr hwn oedd hefyd yn ŵr bonheddig o ystâd helaeth a gymerodd Michael ap Rhisiard gydag ef i'r Bryndu, gerllaw Llanfachell, ym Môn. Yno y bu ef dros rhyw amser yn enw garddwr . . .

Daw'r dyfyniad uchod o'r gyfrol *Enwogion Sir Gaernarfon* gan Myrddin

*'Y GARREG A LEFA Ô'R MÛR' (Llun: yr awdur)*

Fardd a dywed ef i'r cofiant gael ei baratoi gan Dafydd Ddu ar gyfer ei gyhoeddi yn *Y Greal*, ond digwyddodd rhyw ffrwgwd rhyngddo a'r golygydd ac oherwydd hyn ni wireddwyd y bwriad.

Dichon mai tra oedd yn gweithio yn Llanfechell, Môn, y daeth Michael Prichard i adnabod Lewis Morris, drwy William Bulkeley mae'n debyg. Rhaid cofio hefyd y byddai Lewis Morris yn arfer galw yn Llanllyfni ar ei ffordd tua Cheredigion i holi yno am hen lawysgrifau a chymdeithasu gyda'r prydyddion lleol, ond y tebyg ydyw mai mewn cyfnod diweddarach y bu hyn. Goroesodd tri o lythyrau Michael Prichard at Lewis Morris ac ynddynt ceir bod y gŵr ifanc yn ei holi ac yn ceisio dod i ddeall rheolau caeth y cynganeddion, gan ychwanegu at yr wybodaeth a gawsai eisoes gan Margaret Davies ac Owen Gruffydd: 'O ran rwyn gweled y rheolau cyn gaethed nad oes i mi fodd i'w cadw oll. Mae fy mhapur i yn brin iawn o ran mae siopwyr Llanfechell yn ffair Gaer'. Mewn llythyr y tybir iddo ei ysgrifennu tua 1731 mae'n dweud iddo fynd am dro i edrych am ei deulu yn Llanllyfni a bod ei dad wedi rhoi cerydd iddo am gefnu ar grefft y gwehydd wedi iddo drafferthu i'w ddysgu. Mae'n amlwg o ddarllen un llythyr o'i eiddo ei fod yn gofidio am gyflwr yr iaith a'r diwylliant Cymraeg: 'Cywydd Bŷrr i annerch Mr Lewis Morris gan ystyried mor ddiymgeledd yw'r Iaith Gymraeg yn enwedig Barddoniaeth ar fachlud o'n mysg, o ba herwydd fod cimaint o gymhendod Seisnigaidd wedi llygru ein mam Iaith anrhydeddus'. Ond er ei holl broblemau gyda'r cynganeddion a'i boendod meddwl am dranc yr iaith, cafodd beth cysur yn un arall o'i hoff bleserau, sef caru merch. Meddai wrth Lewis Morris: 'Dyma englyn a wneuthym i ferch Ifangc sydd yn cydwasanaethu yn yr un Tŷ a mi, a hono a hanodd o gwmwd Menai'.

> Meinir o Gwmwd Menai wâr fwynaidd,
> > Yw'r fenws a hoffai,
> > Hardd yw llun y fun ddi fai
> > Ragorol a wir garai.

Mae'n rhaid bod ei lythyrau yn rhoi pleser i Lewis Morris a'i bod yn arferiad gan Michael i anfon rhigymau neu englynion doniol ato, er y dywed ar waelod un llythyr: 'Ni feddaf ddim digrif yn y byd i'w yrru atoch'. Dyma rai o gynhyrchion Michael Prichard a fyddai'n siŵr o blesio'r Llew:

### Cyngor i'r Gwyryfon

> 'Mogeled merched pob man, bâr ydyw,
> > Briodi dyn trwstan;
> > Pob mawr ei chlod, pob merch lân,
> > Cyfflybol y caiff leban.

### Cyngor rhag meddwi

> Ond ffôl yw'r gŵr a gymro
> Gan ofer wyr ei hudo,
> I dafarnau, creiriau crôg,
> I ddifa ei geiniog yno.

> Pan elo fo'n gleriechyn
> Ni chaiff mor gŵyn gan undyn,
> Ond ei alw ar ei ol, –
> 'Yr hen anfuddiol feddwyn!'

Cafodd Michael ei brofocio ynglŷn â'i enw mewn un llythyr gan Lewis Morris. Awgrymodd hwnnw'n gryf y buasai'n well petai'n ei newid o Michael oherwydd nad oedd ond y gair 'mochyn' yn ateb iddo mewn cynghanedd. Atebodd Michael gan restru nifer o eiriau megis Mechell, Mâch, Mechain ac yn y blaen ac eglurodd: 'Tybio ydd wyf fi y gall y geiriau hyn a'i Cyffelyb wasanaethu mewn cynghanedd yn abl, os cyfeiliorni yr ydwyf am y rhain eiriau dymunwn arnoch eglurhau fy nghamsyniad imi'. Gellir dychmygu'r hwyl direidus a gawsai Lewis Morris wrth ddarllen geiriau diniwed y bardd ifanc.

Bu Michael ar un adeg yn flaenllaw mewn ffrae farddol rhwng beirdd ynys Môn a beirdd sir Gaernarfon. Roedd cyfle i dynnu coes drwy gyfrwng pennill ac englyn wrth fodd Michael Prichard ac meddai:

> Fe darf un Bardd o Arfon
> Fyrdd a mwy o wael feirdd Môn.

Cyfaddefodd Lewis Morris mai ef a ddechreuodd y ffrae drwy adrodd englyn ym Miwmares a honnai fod beirdd Arfon, Meirion, y Fflint a Dinbych wedi cyhoeddi rhyfel yn erbyn beirdd Môn am fod yr ynys yn cael ei chyfrif yn 'fam Gymru a phob un o'i merched yn chwenych yr un parch'. Parhaodd yr elyniaeth am flwyddyn.

Roedd Michael Prichard yn ei elfen hefyd pan glywodd am ddigwyddiad go ddigri a ddaeth i ran nifer o foneddigion oedd wedi dod i hela llwynogod yn ardal Dyffryn Nantlle un tro. Cyfansoddodd gân â'r teitl 'Hanes Gwŷr Boneddigion a fu yn hela yn Nant Nantlle' i'w chanu ar y mesur 'Marwnad yr Heliwr':

> Ar ryw Lwynog Cefnog hir
> Oedd yn Tario yn y Tir.

Byrdwn y stori oedd bod gwraig o'r enw 'Meistres Gryffydd' wedi gwahodd y boneddigion i loddesta tra oedd 'Gruffydd William Abram' a 'Dai Gryffydd' allan yn hela llwynog fu'n dwyn defaid, ieir a gwyddau o ffermydd yr ardal. Lladdwyd y llwynog gan filgi Gruffydd Abram, ond yn hytrach na'i gario'n ôl i'w ddangos i'r cyhoedd penderfynwyd chwarae tric ar y boneddigion. Gosodwyd y llwynog marw mewn ffos yn y fath ystum ag i edrych fel petai'n fyw. Aeth y ddau wedyn ar eu hunion i argyhoeddi'r boneddigion eu bod wedi dod o hyd i'r llwynog yn gorwedd mewn ffos gan eu hannog i frysio os oeddynt am ei ddal cyn iddo ddianc. Hawdd dychmygu'r hwyl a fu ymysg y gwerinwyr lleol wrth iddynt wylio'r gwŷr bonheddig yn cripian yn ofalus rhwng y brwyn a'r migwyn gwlyb tuag at y ffos lle gorweddai'r llwynog marw. Canodd Michael:

> Cocsiwch eich gynnau Ewch ar eich crafangau
> Am llygaid mi wela y cena mewn cwsg . . .
> Yna Dafis yn gwit iawn ollyngodd Ergyd Llawn
> At y Prŷ oedd er brydhnawn ar gyflawn oer gelan.

Ond gan na symudodd y llwynog, credodd pawb i'r ergyd fethu ac anogwyd bob un ohonynt i danio eto, gyda'i gilydd y tro hwn, a llwyddwyd o'r diwedd i daro'r llwynog. Ni ddatgelodd y trigolion lleol y tric i'r boneddigion hyd nes eu bod i gyd yn hapus ddathlu eu llwyddiant:

> Nhwy aen ar i wared yn ufudd i yfed
> Ag yno mynegwyd ddigrifed y Cast . . .

Dyna Michael yn ei elfen yn dychanu a thynnu coes, ond fel y profwyd ganddo droeon yr oedd yn fwy nag abl i ddyrchafu safon ei gyfansoddiadau a gwelir yn ei waith nodweddion amlwg bardd o'r radd uchaf. Yr oedd ar dir uwch pan ganodd ei gywydd i'r Wyddfa tua 1730:

Eryri hardd oreurog,
Liwus, wych, lân, laes ei chlôg,
Bur enwog, lwys bron y glôd,
Brenhines bryniau hynod . . .

Trwy'r hafddydd, tywydd tês,
Yn bennoeth byddi baunes;
A phob gauaf oeraf fydd
Tan awyr, cei het newydd,
A mantell uwch cafell cwm,
Yn gwrlid fal gwyn garlwm,
Rhag fferdod a rhyndod rhew
Hyll yw adrodd a Llwydrew.

Cyn diweddu'r cywydd rhydd Michael bigiad arall i feirdd Môn:

Di feirdd ydyw holl wlad Fôn
Drwyddi, a di 'madroddion;
Deunaw clêr sy'n d'wyno clôd,
Dan enwau dynion hynod;
Di lân ffyrdd, a diurddas,
Dylion i gyd'n dulio'n gâs;
Diwaneg, diawenydd,
Di Gymraeg, dew aeg i'w dydd;
Deillion yw'r dylion deulu
Dyeithr i'r iaith a fu –
Dymunwn eu damweinio
Drwy dripio draw dros dro.

Anfonwyd y cywydd hwn, ynghyd â nifer o englynion o waith Michael Prichard i'w cyhoeddi yn *Y Gwladgarwr* (1840, tt.82, 151, 176, 210) gan Richard Lloyd, Pont y Twr, a oedd yn perthyn i'r bardd.

Bu farw Michael Prichard yn dair ar hugain oed wedi i ryw nychdod afael ynddo. Yng nghoflyfr plwyf Llanfechell ceir cofnod o'i angladd: '1733, *Michael Prichard, servant at Brynddu was buried the 3rd July, a young man born in Llanllyfni, and an ingenious Welsh Poet'*.

*Waunfawr yn y ddeunawfed ganrif yn dangos Pen y Bont,*
*cartref Dafydd Ddu Eryri (Llun drwy garedigrwydd Mary Vaughan Jones)*

# William Bifan y Gadlys

Soniais yn gynharach am yr adfywiad a ddaeth i fyd barddas yn Arfon
yn ystod blynyddoedd olaf y ddeunawfed ganrif gan enwi Dafydd Ddu
Eryri (David Thomas, 1759-1822) o Waunfawr fel bardd amlycaf y
cyfnod. Yn ôl Cynan 'ef a gyfrifid yn brif fardd cadeiriol Cymru yn ei
ddydd, yn bennaf awdurdod ar yr awdl a rheolau Cerdd Dafod, yn "Dad
Beirdd Arfon" ei genhedlaeth'. Roedd yn gyfaill agos i Robin Ddu yr Ail
o Fôn (Robert Hughes, 1744-85) a oedd wedi ei orfodi i ymddeol o'i
swydd yn Llundain oherwydd gwaeledd, ac wedi ymgartrefu yng
Nghaernarfon, a thrwyddo ef y daeth Dafydd Ddu i wybod am
gyfarfodydd Cymdeithas Lenyddol y Gwyneddigion yn nhafarnau'r
brifddinas. Dyma a'i hysbrydolodd yn ystod gaeaf 1783 i ysgrifennu
cerdd i wahodd beirdd Arfon i gyfarfod yn y Betws Bach, sef y *Betws Inn*
ym Metws Garmon ar noson Gŵyl Fair y Canhwyllau. Y cyfarfod hwn
oedd y cyntaf o'r cyfarfodydd a oedd yn sylfaen i sefydlu Cymdeithas
Lenyddol Beirdd Arfon, sef yr Eryron; cymdeithas a fu'n cyfarfod yn
rheolaidd ym Metws Garmon, ac yna yn y Bontnewydd a Chaernarfon, i
ddarllen, trafod a beirniadu barddoniaeth. Dafydd Ddu oedd cynullydd
a llywydd y gymdeithas ac fel 'Cywion Dafydd Ddu' yr adnabyddid yr
aelodau. Cân yfed yn sicr yw'r gerdd sy'n annog y gwahoddedigion i or-

feddwi yn y Betws Bach, ond wrth ei darllen daw gwir neges Dafydd Ddu i'r amlwg fel y cawn weld maes o law.

Mae'n ddiddorol sylwi bod Dafydd Ddu wedi dewis y noson arbennig hon i wahodd y beirdd 'i'r Betws Bach i botio'. Cysylltir y traddodiad gwerin a elwid gwasaela â Gŵyl Fair y Canhwyllau, sef yr 2il o Chwefror, pryd y cerddai nifer o loddestwyr o amgylch y wlad gan aros wrth ddrysau cartrefi eu cymdogion i gynnal math o ymryson ar gân gyda'r teulu oddi mewn. Dyma'r rhan gyntaf o'r ddefod, sef y 'canu yn drws'. Prif nod yr ymwelwyr oedd cael mynediad i'r tŷ (lle gwyddent fod gwirod ar gael) gan ddymuno llwyddiant i'r cnydau a'r anifeiliaid yn ystod y flwyddyn honno. Wedi i'r ymwelwyr gael mynediad, cenid 'carol cadair' i gyfarch merch ifanc a eisteddai ar gadair yng nghanol y gegin gyda phlentyn yn ei breichiau i gynrychioli Mair a'r baban Iesu. Cyn ymadael cenid 'carol ddiolch' gan y cantorion.

Nid oes air o sôn am y traddodiad hwn yng nghân Dafydd Ddu ond mae lle i gredu nad gwahoddiad i ymgolli mewn oferedd oedd prif amcan y gwahoddiad, er bod llawer o yfed ar nosweithiau o'r fath ac er bod y gân yn dechrau drwy estyn croeso a denu gyda'r addewid o gyflenwad diderfyn o gwrw:

> Wel dy'nma'r addfed, bryd i yfed
> Lle i dorri Syched Sydd;
> Wrth Lyngcu'r hynod, Gwrrw a Gwirod
> Rhyw Fedd'dod hir a fŷdd.

Gwelir erbyn diwedd y trydydd pennill bod y diwn yn newid:

> Gan geisio yn gyson, llunio llawnion
> Englynion, a rhoi ynglŷn
> Diymddattod bo'r Cyfarfod
> Nes darfod Einioes Dŷn.

Ac mae'r pedwerydd, sef y pennill olaf, yn fwy pendant a difrifol eto:

> Fy Mrodyr anwyl, pur yw'r perwyl
> An gorchwyl iawn yw'r gwaith
> Sef ceisio 'mgeleddu, Iach lwŷs achlesu
> Mawrygu Cymro a Iaith . . .
> Ac na bo Brydydd, heb Awenydd
> O fewn ei Fennydd fŷth.

Ymddengys bod Dafydd Ddu yn gyfarwydd â'r hen arferiad gan ei fod yn cyfeirio at y gân 'Naw Gafr Gorniog' fel un o'r caneuon Noswyl Fair mewn llythyr at Edward Jones, Bardd y Brenin (gweler *Hanes Cerddoriaeth Cymru/Welsh Music History*, Gwasg Prifysgol Cymru, Caerdydd 1996, t.81). Mae dwy ffynhonnell bwysig yn bwrw goleuni ar ganu Gŵyl Fair yn y rhan yma o Gymru, sef disgrifiad William Williams, Llandygái (1738-1817) yn Llawysgrif Ll.G.C. 821 a ysgrifennwyd tua

1804, ac un Edmund Hyde Hall yn ei *Description of Caernarvonshire, 1809-1811*, 1952, t.320. Dyfynnaf o lawysgrif W. Williams, Llandygái:

> The custom was for sets of people to traverse the neighbourhood and sing at the doors of houses, where they knew there was Gwirod (wassail) provided, several ludicrous verses, or a kind of burlesque songs in honor of the Virgin Mary. They were answered by others from within which were previously provided for the purpose, and if the latter were furnished with more number of stanzas, and were more witty and expert in performing their part, the outer ones were obliged to decamp without any treat: but usually the inward party gave way so as the others might be admitted to partake of their entertainment.

Un o feirdd gwerin Arfon y ddeunawfed ganrif y gallwn i sicrwydd gysylltu ei enw â'r hen arferiad hwn yw William Bifan y Gadlys. Yr oedd wedi ysgrifennu o leiaf ddwy o garolau Gŵyl Fair ac maent heddiw ar gadw yn y Llyfrgell Genedlaethol. Teitl yr ysgriflyfr yw *Llyfr Amruwawg – cerdd Godidogol Waith Prydyddion Cymry o Gasgliad William Jones Dydd Pured Mair Flwyddyn 1767* (Ll.G.C. 9168). Casglwyd y cerddi sydd ynddo gan William Jones a chyfeirir ato fel 'Wiliam Sion enwog' yn un ohonynt. Yn ôl y llawysgrifen ddiweddarach sydd ar y tudalennau gwelir bod un o gyn-berchnogion y llyfr – Thomas Evans, Ysgubor Wen, Caernarfon – wedi ei werthu am chwe cheiniog i Robert Griffith, Pen y Cefn ger Caeathro yn dilyn Gŵyl Fair 1787. Robert Griffith oedd athro'r gân yn Llanbeblig, ac roedd yn gerddor amlwg yn Arfon cyn i Ffowc Bach y Cantwr ddod i fri. Ar garreg fedd Robert Griffith yn Llanbeblig naddwyd yr englyn canlynol o waith bardd anhysbys:

> Cyn gweryd canai gorawl fawl parod
> Fel peraidd salm ddwyfawl;
> Ond o'i enau, pridd dynawl
> Distaw mwy, nid oes dim mawl.

Yn ogystal â'r carolau Gŵyl Fair ceir 'Ymddiddan o farwnad Rhwng y Byw a'r Marw sef Wm. Cadwaladr o Lwynbigeilydd ai wraig un Jonet Roberts yr hwn a gladdwyd yn Llanystyndwy yn y fln. 1765 i'w ganu ar *Crimson Velvet'* o waith William Bifan. Mae hefyd, gyda rhyw Evan James, yn gyd-awdur cerddi moliant i'r Cyrnol Thomas Wynn, Glynllifon, dyddiedig 1774.

Yn ei erthygl 'Canu Gŵyl Fair yn Arfon' a gyhoeddwyd yn *Nhrafodion Cymdeithas Hanes Sir Gaernarfon* (Cyfrol 25, 1964) mae Trefor M. Owen yn cyfeirio at gân ddiddorol o waith William Bifan a welir yn y *Llyfr Amruwawg-cerdd* 'sy'n taflu goleuni ar ddefodau ynglŷn â gwirod ac ar y personau a gysylltir â hwy'. Teitl y gân yw 'Ychydig o Benillion ar y [King jams] Ar ddull y Prydydd yn anfon 2 oi Ddatgeiniaid y gwyliau I anerch y Mr D. Jones o Gefnycoed ym mlwyf Llanfaglen gydai gwynfan am Dano ef; ei symyd o Lanwna [sic] ir Rhagdwydedig Blwyf'. Dyma fel y dechreua'r gerdd:

### Yr Anfonwyr

Sion pary swn peredd / Am ddatgan cynghedd (sic)
Arafedd iawn waredd yn wir / A Wiliam Sion enwog
Dosbarthwyr lluosog / Waith Brif-feirdd cadeiriog, ar dir
Rwy fi Wiliam Efan / O'r Gâd-Lys Le Bychan
I anog chwi wethan unwaith
Att Mr Jones Weddol / Sy'n ŵr cymredigol
Arferol ich ethol ach iaith / O gefn y Coed weithan
Yn Rhandir Llanfaglan / Mae i Blas ef ar daran o dir
Hyfryda yn y fordor / A naed Wrth ei gyngor
Ar ochr cain oror cyn hir.

Pan oedd y gŵr yma / Yn Byw yn Llanwnda
Fe ddyddem y gwylia yn ei gael
Ai fflagen gan Llowned / Or Bir nese i Bared
Gan rhwydded am folied o fael
ir garth pe'r aem etto / Ni fedrwn wrth gofio
Ddim llai nag oerwylo ar ei ôl

Ceir mai symud i fyw o blwyf Llanwnda i Lanfaglan ar ôl priodi a wnaeth David Jones, a chan mai ond rhyw dair milltir sydd rhwng Cefn y Coed a'r Gadlys, cartref William Bifan, go brin bod angen 'oerwylo ar ei ôl'.

Mae'n amlwg o ddarllen y gân fod Sion Parry a Wiliam Sion wedi hen arfer 'canu yn drws' a defnyddio penillion a gyfansoddwyd gan y bardd ar gyfer yr achlysur. Yn ôl Trefor M. Owen 'nid yw'n amhosibl mai'r un person yw Wiliam Sion a'r William Jones a gasglodd ddeunydd y gyfrol hon at ei defnyddio gan gantorion, ac ef ei hun yn eu plith. Y mae'n amlwg oddi wrth y dyfyniad a ganlyn fod David Jones yn croesawu'r cantorion Gŵyl Fair yn ei dŷ:

Rhoi'ch cwrw rhoi'ch bragod / Rhoi'ch tan ach Rianod
I gadw yma'r ddefod mor ddaf,
Er cofio Mair Raddol / Yn magu i mab rhadol
Sancteiddiol ben Nefol / Ein Naf.'

Eglura Mr Owen ymhellach:

Wrth geisio astudio'r carolau eu hunain y mae'n bwysig cofio mai rhan lafar a ffurfiol o ddefod hynafol oeddynt, geiriau i'w canu ar adeg arbennig yn ystod y ddefod. Yr arfer ei hun oedd yn galw am y math o gynnwys a geir yn y carolau; yn wir, llyfr i'w ddefnyddio wrth baratoi ar gyfer Nos Ŵyl Fair oedd NLW 9168, yn hytrach na chyfrol i'w darllen yn hamddenol. Dyma, mi gredaf, yw arwyddocâd y ffaith

40

fod dau o'i thri pherchennog – os iawn yw dyfalu mai'r un yw Wiliam Sion a Wiliam Jones – yn ddatgeiniaid o fri. Y mae'n ddiddorol sylwi mai 'ar ôl gŵyl fair diwautha' y prynodd Robert Griffith y gyfrol, ac mai ar 'dydd Pured(igaeth) Mair' yr ysgrifennodd William Jones deitl y gyfrol, ymron ugain mlynedd cyn hynny. Dyma'r unig adeg y byddai galw mawr am y gyfrol a'i chynnwys wrth baratoi ar gyfer yr ŵyl; ac wrth ddysgu'r geiriau rhaid oedd dewis y carolau iawn ar gyfer y gwahanol rannau o'r ddefod a dilyn y cyfarwyddiadau a geid yn y carolau ac weithiau ar ymyl y ddalen.

Dywed William Williams, Llandygái, am yr hyn a gymerai le yn y tŷ unwaith y byddai'r cantorion wedi cael mynediad: *'On their entering they demanded in rhyming words a chair to be placed on the middle of the floor . . . '* a gwelir mai fel 'dyrïau' y cyfeirir at y penillion hyn yn y *Llyfr Amruwawg-cerdd:*

### Drïau Gŵyl Fair

Nos dawch gyd'a ych cenad / Rrym ni dwad fesul dau
A chwithau m'or garedig / Heb gynig mo'n naciahau
Am agor drŵs'ch annedd / Roedd hi yn oeredd accw i ni
fe ganwn fel y medrwn / Cychwynwn attoch chwi.

An lleisiau sydd yn gryglyd / gan anwyd yn'r hin oer
Heb gael n'a thân n'a chynyrch / Na llewych gan y lloer
An traed an dwylo yn oerion / Ar galon sydd yn wan
gobeithio cawn ni groeso / I mendio yn y man.

Ni o chwant i yfed / ych cwrw ach clared clir
y daethom ni yma heno / os gwnewch chi goelo'r gwir
I deithio fel y doethion / y daethom att'ch tai
Dechreuodd yn Judea / o'r rheini'r hena i rai.

Meddyliwch chwithau'r amser / Rhoch gadair ger ein Bron
I gofio am forwyndod / y forwyn hynod hon
Cyn ini newid mesur / Mae'n rhy hwyr i chwi rhoi
Oi chwmpas wrth y ffaswn / Fe dreiwn nineu droi.

Terfyn.

Yn dilyn canu'r 'drïau' byddai'r ymwelwyr yn galw ar y teulu i baratoi'r gadair cyn i'r carolwyr newid mesur eu canu a cherdded o'i chwmpas dan ganu'r 'garol gadair'. Cynnwys llyfr llawysgrif William Jones dair enghraifft o'r carolau hyn; un o waith 'Dafydd Jones o'r Penrhyn' a dwy o waith William Bifan y Gadlys sy'n cyfeirio ato'i hun fel 'Gwilim Arfon' yn un o'r penillion:

Wel dyma ddiwedd ar ein rhim / A draethod Gwilim Arfon
Rhwng ei Awen bâch ai ddysg / fu'n Tario ymusg cantorion.

Ceir hefyd sawl cyfeiriad diddorol at y ddefod 'o gwmpas y gadair' mewn carol arall o'i waith. Dyma rai o'r penillion:

Rhowch gadair mewn trefn oedd / Ar ganol y'ch Neuoedd
A merch o'ch gwyryfoedd / An-henoedd yn honn
A Bâch-Fâb chwech wythnos / O oed os yw'n agos
Ar Liniau yn ddi ymaros / Linos wawr lon.

Yngylch Deugain nydd felly / Oedd oedran yr Iessu
Nos-wyl-Fair y darfu, / Mawr garu Mair gu:
Sef g'leuo'r canwylla' / I honn ai Mâb hyna
A wnaeth y gorucha' / Ir Messeia er moes hu
                                    Troi'r mesur yn frisgiach [cyflymu]

Wel bellach mewn undod / chwenychem gael gwirod
O Law y Gwr Priod / Da fragod di frêg
I i blegio'r fyn dyner / Sy yma yn chader
Dym'atto mewn amser / Fwyn dyner fyn dêg.

| | |
|---|---|
| Y gwpan ar Wirod | penillir |
| Pan welwi dy waelod | canwr cyntaf |
| par hynny ym pen fedd dod | a gaffo'r |
| A syndod im Sain | gwpan |

| | |
|---|---|
| Gan rif y Canwyllau | ar wirod |
| Sy o amgylch dy'mylau | yw |
| Mi losga'r cêg fochau | law |
| Coeg fychan | |

Cyd safwn o bwrpas / I yfed o gwmpas
gu rodd y gwr addas / Fawr hanes fir hen
Bid llwydd i chwi ach ceraint / Ach gwraig am eich rhoddiant
A nefoedd ich meddiant / A mwyniant Amen

Y teulu mwyn talgrwn / I chwi mae ini mosdwn
Fe ddarfu ini'n mosiwn / An mesur rŵ rŵ
Os Byddwch mor weddol / Am harwain ir gongol
Fe ffeiriwn hen garol / Am gwrrw
                                    Wm. Evans, 1792.

Cyfeirir at yr elfennau amlycaf yn y penillion hyn, sef goleuo'r canhwyllau a rhoi merch ifanc i eistedd yn y gadair a bachgen chwe wythnos oed yn ei breichiau, gan bwysleisio'r angen am wyryf i gynrychioli Mair. Dichon bod hyn yn destun llawer o dynnu coes ac edliw, yn ôl Hyde Hall: *'To avoid cavils, exceptions or expletive titterings . . . an infant female was placed in seat of honour'*, a Williams: *'the women, I suppose sensible of their own frailties, always placed in the chair an Infant Girl'*.

Sylwer bod y gair 'plegio' yn ymddangos yn un o'r penillion a dyma eglurhad Trefor M. Owen:

42

Y mae'r ail ran yn dechrau (pan fo'r ferch a'r baban yn y gadair) â chais am wirod er mwyn pledgio'r ferch ifanc. Y mae i'r gair *pledge* . . . ystyr arbennig a hanes hir mewn perthynas ag ymyfed . . . ond y mae'n debyg mai'r hyn a olygai yma yw parodrwydd i ddilyn y ferch drwy yfed ar ei hôl. Gofynnir i'r ferch yfed a rhoddi diod i'w 'chofled' er cof am Fair a Christ. Yr oedd y carolwyr, wedyn, yn barod i dderbyn y gwpan o ddwylo'r ferch.

Os darfu i chwi yfed / Fair jiredd fyn eured
Fe gym'wn trwy'ch cenad / Y llesdred och llaw
Am hynny Wawr Howddgar / Awch codwch och cadair
Pan weloch y'ch Amser / Fwyn tro ar fyn'd traw

Dyma ddisgrifiad William Williams, Llandygái o'r gwpan: *'The Wassail Cup . . . usually held 2 or 3 quarts of sugared ale and toasted slices of bread, with pieces of wax candles stuck round the edge and lighted'*. Ac yn ôl Hyde Hall: *'Embracing this, the coryphaeus of the band paraded round the chair followed by his associates and assisted by them in building the lofty rhyme. He was then to drink to the infant Queen of the Revels – a service of danger to his locks and whiskers from the surrounding lights'*. Yn dilyn y cyfan meddai William Williams: *'the company were entertained with supper and plenty of wassail'*.

Wedi i'r gloddesta ddirwyn i ben a phan oedd y carolwyr yn hwylio i ymadael, cenid math arall o garol a elwid 'Carol diolch nos ŵyl Fair' gan ganmol y croeso a'r cwrw, a dymuno llwyddiant i'r teulu yn ystod y flwyddyn. Dyma un enghraifft o'r *Llyfr Amruwawg-cerdd* i'w chanu ar y mesur *'Belleisle March'*:

Hai dowch y llangcia tua adra / dda droe yn ddidrai
ni gowson ein digon gan wŷr heilion / dda foddion yn ddifai
mae'n pena yn houw / yn troi gan gwrw rol Bwrwyn ein Bol
an tafod oedd weddol / yn an rhysymol yn dwŷd aflesol Lôl
ein pena an traed sun troi yrydym wedi ymdroi
ar ol meddwi Rwyn dwyd i chwi / mae'n rhowŷr ini ffoi
a gwneud ein gora am fund / adrau cin y Borau'n bur
i gael sobr Rhag trieni / a gofid gwedi oer gur
noswaith dda i chwi'n hu / a Bendith dduw'n tu
a ffarwal etto er dim a fotho / rwyn cofio eiriau cu
ag Iechid i chwŷ rhai hynod / eini heb sŷrni yn ddi-sen
a gras yr Iesy i bawb och teulu / mewn modda mwyngu Amen.

Ganed William Bifan yn 1730 yn fab i Evan Williams, Bodaden, ac er mai 'William Evans' a dorrwyd ar garreg ei fedd, fel William Bifan yr adwaenid ef ar lafar gwlad. Gwerinwr o amaethwr ydoedd William Bifan ac fel llawer arall o'r cyfnod treuliodd ei ddyddiau yn hau a medi, prynu a gwerthu da gan fynychu marchnad a ffair. Ar wahân i'r carolau uchod gwn am un esiampl arall o'i waith barddol sydd wedi goroesi ar bapur, a byddaf yn ymdrin â hwnnw ymhellach ymlaen, ond roedd ambell rigwm o'i eiddo yn parhau yng nghof rhai o drigolion hynaf plwyf Llanwnda hyd at ddechrau'r ugeinfed ganrif. Enynnodd barch y bobl gan y gwyddent yn dda am ei ddawn fel dychanwr profoclyd a goganydd didostur, ac fel llawer o'r beirdd gwerin, gofalai pawb beidio'i gythruddo rhag ofn iddo gyfansoddi cerdd i'w dychanu.

Un o'r penillion o waith William Bifan sydd wedi goroesi yw'r un sy'n ymwneud â digwyddiad cysylltiedig â'r arferiad o gynnal gwasanaeth plygain yn eglwys Llanwnda ar fore Nadolig. Ar y Nadolig arbennig hwn trefnwyd bod aelodau o eglwys Llanbeblig i gymryd rhan yn y gwasanaeth. Am ryw reswm nid oedd clochydd Llanbeblig yn fodlon iawn i'w gyd-blwyfolion gael mynd ac aeth ati i gynllunio rhwystr. Ar y ffordd fawr sy'n arwain o Gaernarfon i Bwllheli mae cyffordd a adwaenir fel Ffrwd Cae Du rhwng y Bontnewydd a Llanwnda, ac yn ystod y dyddiau dan sylw rhedai'r ffrwd ar draws y ffordd gyda phompren i gerddwyr ei chroesi. Gwyddai'r hen glochydd y byddai'n rhaid i bobl Llanbeblig groesi'r bompren yn blygeiniol ar fore'r gwasanaeth ac aeth yno rhag blaen gan droi'r bompren â'i phen i lawr, gyda'r canlyniad o daflu'r bobl i'r dŵr a'r llaid islaw. Pan glywodd William Bifan am y cynllwyn aeth ati i ddychanu'r hen glochydd fel hyn:

> Hen glochydd Llanbeblig
> Wnaeth dro melldigedig,
> Troi'r bompren o chwithig,
> Aniddig y nôd;
> Gan ddisgwyl yn drwstan
> Rhôi llawer eu pawan
> Ar ganllaw y bompran
> A chwympo yn gelain i'r gwaelod.

Yr oedd bryd William Bifan ar gyhoeddi ei waith, a dywedir iddo ganu llawer rhigwm, carol, pill a rhai emynau, gan eu hysgrifennu mewn dau lyfr. Bu'r llyfrau hyn ym meddiant y teulu am flynyddoedd ond fe'u benthycwyd gan gydnabod, ac fel sy'n digwydd yn llawer rhy aml, aethant ar goll.

Ffermdy yw'r Gadlys a saif rhyw dair milltir i'r de o Gaernarfon ar godiad tir lle credir bod gwersyll milwrol yn yr hen amser. Rhoddir eglurhad o'r enw fel 'llys y gad' ac mae olion amddiffynfa i'w gweld yn y fan hyd heddiw. Nid nepell o'r Gadlys saif Garth y Gro, ffermdy arall, lle trigai Elin, y ferch ifanc a ddaeth yn wraig i William Bifan. Hyd at ddechrau'r ugeinfed ganrif roedd rhigwm pert wedi goroesi ymhlith rhai o hen frodorion yr ardal a oedd yn ymwneud ag un o helyntion carwrol William Bifan tra oedd yn canlyn merch Bodaden. Mae hyn braidd yn ddryslyd o gofio mai mab Bodaden oedd William Bifan, ond y stori oedd ei fod un noswaith wedi mynd i weld ei gariad yn ôl yr hen arferiad Cymreig, wedi i weddill y teulu noswylio. Rhag ofn gwneud mwy o dwrw nag oedd angen, tynnodd ei facsiau a oedd yn wlybion gan y gwlith a rhoddodd hwy o'r neilltu, ond methodd ddod o hyd iddynt pan oedd ar gychwyn adref yn blygeiniol drannoeth. Wrth glywed y cynnwrf cododd gŵr y tŷ, sef tad y ferch ifanc, a gofynnodd mewn llais awdurdodol pwy oedd yno, ac atebodd William Bifan:

William Bifan druan
Sydd wedi colli'i facsan,
Yn chwilio am dani ers mwy nag awr,
Ym mharlwr mawr Bodadan.

Pan ddeallodd gŵr y tŷ pwy oedd yno, dihangodd i'w wely yn ddiymdroi gan gymaint ofn oedd arno y deuai yn wrthrych pill profoclyd. Dyma un esiampl o'r parchedig ofn a oedd gan y bobl at y beirdd gwerin. Ond mae fersiwn arall o'r hen bennill sy'n gwneud mwy o synnwyr ac sydd hefyd yn egluro na threuliodd William Bifan awr yn chwilio am facsen mewn parlwr:

William Bifan druan
Sydd wedi colli'i facsan,
Yn chwilio am dani ers mwy nag awr,
Yn Nhalwrn mawr Bodadan.

Mae darn o dir Bodaden sydd ar gwr deheuol y fferm yn cael ei adnabod fel y 'Talwrn' neu yn ôl Glasynys, 'Talwyn yr Arch'. Mae'n haws credu felly mai ar y llain tir a elwid 'Talwrn' y digwyddodd yr helynt ac nid ym mharlwr ei gartref.

Wedi iddo briodi Elin Garth y Gro aeth William Bifan i fyw i'r Gadlys, lle llwyddodd i wella ei amgylchiadau, ac fel William Bifan y Gadlys yr adnabyddid ef o hynny ymlaen.

Goroesodd lawer o'r troeon trwstan a ddaeth i'w ran ar lafar gwlad a cheir un hanesyn amdano'n cario baich o eithin ar ei gefn ar hyd y llwybr sydd rhwng y Gadlys a fferm gyfagos y Cefn. Baglodd wrth groesi camfa gan anafu ei hun wrth syrthio, ac meddai wrth un o'r cerrig:

Y gafled! pe gawn gyfle,
Y trwyn llwyd, fe'i trown o'i lle.

Mae darn o dir Caerodyn a elwir yn Weirglodd Gudyn a thra oedd y pladurwyr wrthi'n brysur yn ei dorri un tro, daeth William Bifan heibio. Yn ystod yr ymgom a fu rhyngddynt cwynai rhai o'r pladurwyr oherwydd diffyg min ar y pladuriau. Meddai William Bifan wrth eu gadael:

Mae llawer math o erfyn
I'w gael ar Weirglodd Gudyn,
Ond torrir heddiw, gwneir yn wir,
Rydau ar dir Caerodyn.

Adfail yw Rhedynog Felen erbyn hyn (gweler *Moel Tryfan i'r Traeth*, Cyhoeddiadau Mei, 1983, tt.13-25), ond o ddarllen ysgrif W. Gilbert Williams ceir ei fod yn safle o gryn bwysigrwydd yn y gorffennol pell. Gwelir y dyddiad 1673 a'r llythrennau 'I.L.A.' wedi eu naddu ar un o'r cerrig ar y wal uwchben y drws. Mae traddodiad lleol sy'n dyddio'n ôl bron dri chan mlynedd cyn hynny yn dweud bod Owain Glyndŵr wedi bwriadu codi ysgol o fewn y terfynau, ac i fynd yn ôl ymhellach gwelir ym *Mrut y Tywysogyon* ddatganiad bod cwfaint Ystrad-fflur wedi dod i Redynog Felen yn 1180 a cheir amryw gyfeiriadau mewn llawysgrifau hanesyddol fod i'r lle gysylltiadau mynachol.

Saif Rhedynog Felen rhyw bedair milltir i'r de-orllewin o dref Caernarfon yng ngolwg y môr a chaer hynafol Dinas Dinlle. Ffermdy oedd yr hen le erbyn amser William Bifan. Daeth yntau heibio yn ystod tymor y cynhaeaf ŷd un flwyddyn, ar ddiwrnod digon ansefydlog o ran tywydd, gyda'r cymylau tywyll yn darogan glaw. Oherwydd hyn prysurai'r cynaeafwyr i gael yr ŷd dan do cyn y genlli ac wrth frysio, collodd y das ei siâp.

Wrth weld William Bifan yn nesáu, rhuthrodd pawb i geisio rhoi ychydig o drefn arni rhag ofn i'r bardd eu goganu, ond roeddent yn rhy hwyr, ac meddai:

Diolchwn i'r Arglwydd am roi i chwi ŷd,
Ond mae gennych gyrnen yr hylla'n y byd;
Rhowch gyflog i rywun a'i taflo i lawr,
Mae'n wrthun i'w gweled ar fin y ffordd fawr.

Ar wahân i'r tynnu coes diniwed byddai goganu yn ddull effeithiol o geryddu pobl hefyd. Roedd yn gas gan y werin y bobl hynny a oedd wedi 'anghofio eu hunain' yn dilyn llwyddiant yn eu hamgylchiadau. Byddai rhai yn dychwelyd i fro eu mebyd wedi cyfnod oddi cartref yn cymryd arnynt fod wedi anghofio'r iaith neu ambell un o'u cymdogion bore oes. Byddai'r 'Dic Sion Dafyddion' hyn yn sicr o ddod yn wrthrych pennill gan y rhigymwyr. Dychwelodd merch ifanc adref o Lundain un tro i edrych am ei theulu, ond yr oedd bywyd y ddinas fawr Seisnig wedi dylanwadu gymaint ar ei chymeriad fel nad oedd yn cymryd arni ei bod yn adnabod ei hen gariad. Aeth y si ar led yn yr ardal am yr 'hen drwyn bach' a chlywodd William Bifan yr hanes. Cyn bo hir roedd y ferch yn destun gwatwar y pill canlynol:

Mae merchen i Sion Ifan,
Ar faes nacaes roi cusan,
I'w chymydog annwyl John,
Pan landiodd hon o Lundan.

Mae llawer o'r hanesion sydd wedi goroesi am William Bifan y Gadlys yn gysylltiedig â'i fynych deithiau o amgylch ei fro, un ai yn rhinwedd ei

*Rhedynog Felen fel y mae heddiw (Llun: yr awdur)*

orchwylion amaethyddol neu i gadw cyhoeddiad arbennig. Gan nad oedd glo wedi dod yn danwydd cyffredin gan y gwerinwyr yn ystod oes William Bifan, coed, tywyrch a mawn a ddefnyddid i wresogi'r bythynnod. Dibynnai ardalwyr llechweddau Arfon ar fawn yn bennaf i gynhesu eu cartrefi ac yr oedd gan bob rhanbarth ei mawnog lle'r elent i ladd mawn, ei sychu, a'i gludo adref. Dechreuid ar y gwaith hwn ar ddechrau'r haf gan bob teulu, gan ofalu bod ganddynt gyflenwad o fawn i barhau am y flwyddyn. I'r Gors Goch yng ngwaelod mynydd Moel Tryfan yr âi William Bifan i ladd mawn gyda'i raw fawn i dorri'r mawn yn ddarnau petryal a'u gosod y naill ar ben y llall gan adael bylchau i'r gwynt eu sychu. Ar ddiwedd haf dychwelai i'r Gors Goch i gyrchu'r llwyth adref, ac anaml iawn y clywid am neb yn ysbeilio'r teisi hyn gan fod hon yn cael ei hystyried yn drosedd anfaddeuol a dirmygedig dros ben. Wrth gwrs yr oedd angen gwneud mwy nag un siwrnai i ddod â'r mawn adref a chawn rigwm gan William Bifan i gofio un o'i deithiau:

> Wrth ddod yn ôl yn llipryn
> O ladd y mawn a'r rhedyn,
> Caf de a sleisen o gig moch
> Gan Martha Goch Cae'rodyn.

Dro arall ceir bod gwas o dueedd farddol yn gweini yn y Gadlys ar un adeg a daeth awydd drosto i fynychu eisteddfod beirdd ym Metws Garmon. Does dim tystiolaeth bendant i gysylltu'r cyfarfod hwn â'r eisteddfodau a gynhaliai Dafydd Ddu a'i ddisgyblion, er dichon ei bod yn eithaf teg nodi mai yn y *Betws Inn* ym Metws Garmon y cynhelid cyfarfodydd cyntaf Cymdeithas yr Eryron.

Cymhellodd y gwas i William Bifan fynd gydag ef, ond aeth yn hwyr ar y ddau cyn gorffen gorchwylion y dydd. Cyrhaeddodd y ddau y Betws yn hwyr a bu cryn dynnu coes gan y rhai oedd wedi ymgynnull yno. Atebodd William Bifan hwy gydag englyn:

> Mi gerddais, rhedais rydau, – heb gwynfan,
>  Heb ganfod y llwybrau,
>  Heb amheu mwy nad yma mae
>  Bwrdd odiaeth y beirddiadau.

Mewn oes pan oedd y ffyrdd yn wael, cyn dyfodiad trên a char, roedd y bobl gyffredin wedi hen arfer cerdded i bobman ers dyddiau eu plentyndod. Roedd marchogaeth hefyd yn ffordd ddigon cyffredin o deithio i'r rhai oedd â digon o fodd i gadw ceffyl, ac felly dibynnai'r trigolion ar wasanaeth y gof a'r crydd. Cedwid y crydd yn brysur am ei bod yn ofynnol iddo fedru gwneud pâr o esgidiau yn ogystal â'u trwsio. Preswyliai'r crydd agosaf i'r Gadlys ym mhlwyf Llanwnda yng Nglanrhyd, ac roedd gŵr a adwaenid fel Ifan y Minffordd wedi archebu pâr o esgidiau newydd ganddo. Er iddo gerdded sawl gwaith i edrych a oedd yr esgidiau newydd yn barod, ei siomi a gawsai bob tro. Galwodd

Ifan heibio i'r Gadlys a dywedodd ei gŵyn wrth William Bifan, a'r tro wedyn y galwodd heibio i'r crydd cafodd ei siomi ar yr ochr orau; roedd yr esgidiau newydd yn barod. Mae'n ddigon posib fod y crydd wedi cael clust fod Ifan y Minffordd ar delerau da gyda dychanwr y Gadlys, ond daeth yr esgidiau'n rhy hwyr; roedd englyn eisoes wedi ei lunio ar gyfer yr achlysur:

> Ifan, yn gyfan i'w gofio, – gafodd
> Y gofid oddiarno,
> Yng Nglan y rhyd, bid y bo,
> Ddwy esgid yn ddi-osgo.

Bu Sioni'r gof yn destun penillion hefyd un tro, nid am ei fod yn araf yn cwblhau archeb ond am fod un o foch y Gadlys angen modrwy, ac felly lluniwyd cerdd ofyn i'w cheisio:

> Sioni'r gof, a'i synwyr gwych,
> A wnei di'n fedrus fodrwy fach
> I flawen gwb a'i flew yn goch,
> O frid ei hun yn frawd i hwch.

Roedd William Bifan dipyn yn hŷn na Dafydd Ddu Eryri ond mae lle i gredu i'r ddau fardd gyfarfod o leiaf unwaith, a hynny flynyddoedd cyn sefydlu Cymdeithas yr Eryron. Digwyddodd hyn yn ystod cyfnod ieuenctid Dafydd Ddu pan oedd yn wehydd, a dyna'r rheswm pam nad oedd ganddo'r hyfdra i ateb cyfarchiad William Bifan:

> Dafydd brydydd, sy' dan b'rwydydd,
> Yn chwilio am le i roi gwê'n y gwŷdd.

Flynyddoedd yn ddiweddarach wrth gwrs, roedd Dafydd Ddu wedi hen feistroli'r ddawn o ateb cyfarchiad crafog gyda phill neu gwpled miniog ar amrantiad.

Yr unig enghraifft arall o waith William Bifan sydd wedi goroesi hyd y gwn yw'r un sy'n gynwysedig yn Llawysgrif Caerdydd 2.14. Ysgrifennwyd honno gan un William Rowland yn 1736 ac ymysg y pethau diddorol sydd ynddi ceir 'Anwiw Cywydd i ofun benthig llyfr gan Mr Owen Hughes o fodaden Esqr.', ac ar ddiwedd y cywydd ceir yr enw canlynol: 'John Evans ai cant 1722'. Mae'n debyg mai'r John Evans hwn oedd clochydd Llanfaglan yn ystod hanner cyntaf y ddeunawfed ganrif a'r William Rowland y cyfeirir ato oedd mab Rowland Francis, Tyddyn y Berth uwchlaw Bodaden, a oedd yn cydoesi gydag Owen Hughes. Digon posib hefyd mai cyfeiriad at fenthyca un o lawysgrifau Bodaden (y llyfr hir a'r llyfr byr) a geir yn y cywydd gofyn.

Wrth dynnu tua therfyn Llawysgrif Caerdydd 2.14 gwelir enw William Bifan wedi ei dorri ar y dalennau: 'William Beven yw'r ysgrifenydd trwsgwl', a thro arall gwelir, 'W. Evans' ac 'W.E. ai 100' yn yr un llawysgrifen.

Ar un o'r tudalennau hyn ceir y pennawd 'Pan fu'r frwydyr yng Nghaernarfon am Yd', gyda'r rhigwm canlynol yn dilyn:

Gwaith y pen saer gore 'rioed
i lawr a roed yn ebrwydd
am ad'ail oedd mor wych a chaer
ple caiff y saer fodlonrwydd.

Nid yw'r nodyn sy'n dilyn ar waelod y rhigwm yn hollol eglur o ran ystyr oherwydd yr ysgrifen annealladwy: 'I John Prys philom gof cad yn fyw' neu 'c'addwyd yn fyw'.

Mae hyn yn dwyn i gof yr amryw derfysgoedd a fu yn y wlad yn ystod y cyfnod hwn pan wrthryfelodd y werin yn erbyn prinder bwyd a chostau uchel byw, hynny yw, newyn. Methodd y bobl â dioddef yn hwy. Ymosodwyd ar farchnadoedd ac ar gertiau a gludai ŷd ar hyd y wlad. Dinistriwyd melinau pan oedd y melinydd yn styfnig a rhwystrwyd llongau rhag hwylio neu ddadlwytho. Bu helyntion cyffelyb yng Nghaernarfon yn 1752 ac 1758, a dyma dystiolaeth William Morris o Fôn am yr olaf mewn ôl-nodiad yn ei lythyr at ei frawd Richard, dyddiedig y 13eg o Chwefror, 1758:

Bu rhyfel yr wythnos diweddaf yng Nghaernarfon, y mob a ddaethent o'r chwarelydd a'r mwyngloddiau ac a aethant i'r gaer ac a dorrasent ystorysau ac a werthasant ŷd, menyn a chaws am iselbris, yna meddwi a chware mas o riwl. Codi a orug y Caeryddion yn eu herbyn mewn arfau, lladd un anafu eraill, carcharu rhyw fagad a gyrru'r lleill ar ffo.

Dyma adroddiad am ddigwyddiad 1752 o'r *Old Karnarvon* (tud. 134-136).

### The Riots of 1752

*On a fine morning in April, 1752, Councillor Williams of Plas Glanrafon fawr rode into Carnarvon at a brisk trot, having been informed that a rising was meditated by the quarrymen of Mynydd Cilgwyn and Rhostryfan, in order to storm the corn granaries in Shirehall Street.*

*On his arrival at the Sportsman Inn, in Castle Street, the Councillor, a very energetic man, gathered together a large number of the townsmen, and armed them with guns, swords, bludgeons, and other weapons, and exhorted them, in a lively address, to be ready for any emergency.*

*The insurgents, on their part, had not been idle. There was an organisation amongst them, and an understanding had been entered into with an old man of the town – an itinerant gelder, who, while travelling through the country in pursuance of his trade, used to blow his horn on the crossroads to invite customers – that he, being an inhabitant of the town, should blow his horn, in case of any signs of resistance being apparent.*

*Affairs having been thus arranged on both sides, the insurgents marched into the town about 10 o clock in the morning; and the old gelder . . . blew*

Y Sportsman, *Caernarfon*

*several blasts from his horn from his doorstep in South Penrallt. The insurgents were assembled by that time near the corn granaries in Shirehall Street; and as the horn was blown on the emerging of Councillor Williams and his men from the Sportsman, panick struck them and they fled past Ty'n y cei, and wading the river crossed to the other side of the Aber and hid themselves in Coed Helen woods. But one of them stopped in the middle of the stream, defied the Councillor and his men, calling out that they had only powder in their guns, and no bullets. Whereupon the landlord of the Old Crown Inn cried out; 'I will show you what we have in our guns', and firing shot him through the heart. Upon this the insurgents rallied, and rushing together rescued the body of their comrade and carried it back to the woods. The Councillor's men instantly seized the old gelder, and after a drum-head court martial, hanged him before the Anglesey Inn; and after he had been hung a few minutes, carried him in a coffin to Llanbeblig Churchyard. It was said that he was kicking within the coffin while the earth was thrown upon it.*

*Meantime, the insurgents had not been idle. They had formed a coffin for their deceased comrade, which they had painted half red and half black; and in the afternoon they carried it, in solemn procession, through the streets of the town, and afterwards conveyed it to Llandwrog for burial.*

*Councillor Williams had some of the insurgents brought before the magistrates, and a number of them fled the country. In corroboration of the above, as long as the old Crown Inn stood it was rumoured that the ghost of the black and red coffin continued to haunt the place. In further corroboration it may be mentioned that the Exchequer Rolls for 1752 contain an announcement that two men were hung at Carnarvon in that year for conspiracy – one of them being the unfortunate gelder, and the other the quarrymen that was killed – the Councillor, as 'his Majesty's Attorney General for North Wales', undoubtedly representing the case as such to the authorities at head quarters.*

Am ryw reswm yn Saesneg y naddwyd y geiriau sydd ar garreg fedd William Bifan ym meddrod y teulu ar gwr gogleddol eglwys Llanwnda. Claddwyd tri o'r plant o flaen eu rhieni yn ôl y cofnodion ar y garreg:

Hear lieth the body of
ELIN the wife of
William Evans, who
departed this life the 27th of
December 1787
Aged 30
Also the body of the said
WILLIAM EVANS, late of
Gadlys, who departed this
life the 6th of April 1793
Aged 63.

Yn ôl y cofnodion deellir bod Elin, gwraig William Bifan, wedi ei geni yn 1757 ac wrth sylwi ymhellach gwelir bod un o'r plant wedi ei geni yn 1762. Go brin fod hyn yn gywir gan y buasai'n golygu bod Elin wedi esgor ar y ferch fach pan oedd yn bum mlwydd oed. Tueddaf i gredu mai camgymeriad ar ran y cerfiwr yw'r '30' felly, ac mai '50' y dylai fod.

Nid oes enw awdur wrth y toddaid sydd wedi ei gerfio ar y garreg ac mae'r ystyr braidd yn aneglur yn y ddwy linell olaf:

Darfu dydd y Prydydd parodawl
Nodwyd a thorwyd ei daith ddaearawl
Y Bedd unig – er y bu ddoniawl,
Parth y nos yw'r lle perthynasawl,
Ac odid y cudd y gedawl – o'r byd
Hur y gwyryd ur mwy rhagorawl.

# John Jones Llanddeiniolen

Bu John Jones yn athro ysgol yn Llanddeiniolen a Llandwrog yn saithdegau ac wythdegau'r ddeunawfed ganrif. Roedd hefyd yn fardd a chyfansoddodd nifer o gerddi; rhai yn ysgafn a doniol, eraill yn fwy difrifol a chrefyddol ac maent ar gael mewn dau ysgriflyfr yn y Llyfrgell Genedlaethol (NLW 346B a NLW 8351B). Ymddengys i'r cerddi gael eu cyfansoddi rhwng 1768 ac 1778 a phan ddaeth un o'r ysgriflyfrau hyn i sylw'r diweddar W. Gilbert Williams, Rhostryfan (gweler *Y Llenor*, haf 1938, tt.106-111) tua dechrau'r ugeinfed ganrif roedd ym meddiant aelod o deulu Rhiwfallen, Llandwrog. Awgryma'r nodyn canlynol ar yr ysgriflyfr hwnnw, 'John Jones / Rhywall / Llan[d]wrog' mai yn Rhiwfallen y trigai tra oedd yn athro ysgol yn Llandwrog. Yn ôl y Llyfrgell Genedlaethol bu ysgriflyfr 346B yn eiddo i Dafydd Jones o Gaeserwyd tua diwedd y ddeunawfed ganrif a dechrau'r bedwaredd ganrif ar bymtheg, ac yna i deulu Twm o'r Nant.

Mae'r mwyafrif o waith barddol John Jones yn gerddi ystwyth, clir eu mynegiant a hawdd i'w darllen, gyda llawysgrifen ysgriflyfr 346B yn ddestlus tu hwnt. Ceir rhai darnau o nodwedd dra masweddus ganddo ac eraill i'r gwrthwyneb yn grefyddol iawn eu naws. Ychydig iawn a wyddys am hynt a helynt bywyd John Jones ond ceir y cofnod canlynol amdano yng nghofrestr plwyf Llanddeiniolen: *'John Jones, Schoolmaster, and Anne Jones, both of this parish, were married, May 5 1773'*. Ni ellir ond tybio bod cyfrifoldebau bywyd priodasol wedi rhoi trefn ar ei fywyd. Yr oedd, dair blynedd yn flaenorol, wedi bod mewn ffrwgwd gyda rhyw Elisabeth Dafydd o'r un plwyf ac wedi bygwth ei churo. Daeth y ferch â'r cyhuddiad hwn gerbron yr Ustus yn Sesiynau Chwarter Caernarfon 1770 pryd y gorchmynnwyd John Jones i gadw'r heddwch tuag ati. Rhaid cofio mai canu'n gymdeithasol wnâi beirdd y cyfnod ac wrth ddarllen rhai o gerddi John Jones ceir y teimlad ei fod ef a'i gyfoedion wedi mwynhau llawer ar bleserau megis mercheta ac yfed, yn enwedig felly o ddarllen ei ' . . . Gerdd, o Gwynfan Gwr Ifangc, o achos bod yn drwsgwl efo ei Gariad . . . ar y mesur Conset Captain Morgan'. Mae hon yn enghraifft gampus o gerdd gymdeithasol. Cyferchir cyfoedion yn y ddwy bennill gyntaf a chloir gyda rhybudd iddynt:

> Pob mwyn ŵr Ifangc ffraethlangc ffri,
> Gwrandewch fy nghwynion union I,
> Mewn tosturi ystyriol fryd;
> Mi eis yn helbulus yn y byd,
> I drwm drafferthion moddion mawr,
> Llwyr Wae fi erioed o weld y wawr.

> Mi fûm fel chwitheu or goreu gynt,
> Opiniwn gwag am pen mewn gwynt,

Yn llawn o ffoledd ryfedd rith,
Am gael pob pleser sy yn ein plith,
Ym mhob rhyw fan mewn llan a llwyn,
Am wasgu Merch wiw osgo mwyn.

Ond wrth hir ganlyn, hyn yn hir,
Dae'r peth ir g'leuni, yn ô led glir,
Fe droes y rhod Duw yn fy rhan,
Fe syrthieu'r Fun, mewn serth iawn fan,
I drwm drueni, cyni caeth,
Ai gwynion Fronneu a lanweu o laeth.

Digiodd teulu, ffrindiau, a chariad y ferch wrthi, gan ei gorfodi i ymofyn
barn gyfreithiol i'w hamddiffyn. Dilynwyd hyn gan dlodi ac nid oedd
croeso iddi yn un o'r plwyfi cyfagos:

R'ol hyn mewn sorriant mawr yn siŵr,
Hi aeth at Ustys, weddus wr,
I geisio gwarant dyma'r gwir,
I'm cyrchu am hyn, I Garchar hir,
Neu I gymeryd, dybryd yw,
Y Baban bach, os byddeu byw.

Mae'n rhaid bodloni difri daith,
I fynd tan gost, 'rôl gwneyd y gwaith,
Rhaid talu I Famaeth, artaeth yw,
Dyrysa canu, dros y Ciw,
A thalu ym Mangor, ddobor ddwŷs,
Neu ddioddeu penyd, arwa pwys.

Fy nghariad hefyd drymllyd dro,
Sydd megis brân, y nghanol bro,
Yn Sport i bawb, o fewn y byd,
Tan drwm drueni drysni dryd,
Mae o Swyddogion fwy na mwy,
Anhylaw ei phlaid yn hel yw phlwy.

Daw'r gerdd i ben drwy rybuddio'r ifanc:

Cymerwch rybydd, burffŷdd bwŷs,
Yr holl Ifengtyd dybryd dŵys,
Ddiwarth o fodd, oddiwyrthyf I,
Rhag mynd tan ddicllon greulon gri,
Ac oni wnewch, chwi gewch mi ai gwnn,
Ryw fawr anhunedd, tuedd twnn.

Os yw gwaith John Jones yn adlewyrchiad o'i gymeriad a'i helyntion
personol, yna mae'n eithaf teg tybio iddo fwy nag unwaith droi i'r dafarn
er mwyn anghofio blinderau ei fywyd. Mae'n amlwg i'r geiriau canlynol

gael eu llunio ar gyfer yr alaw 'Glan Medd'dod Mwyn', un o alawon tra phoblogaidd y cyfnod:

> Dewch llenwch y Llestr mewn hyder yn hu,
> Ac yfwn nes meddwi y cwmni mwyn cu,
> Pa beth a dal siarad, dwfn fwriad am ferch,
> A dweyd ein bod glafedd a saledd ein serch,
> Mi brofais i lawer nid lliwied am hyn,
> Mewn cwmni glan ferched trwy siarad di syn,
> Cin mentro ir mawr gwlwm sydd galed a thŷnn,
> A gwelais 'rol treio rwi'n gwirio'r mawr gwŷn,
> Nad yw merch ond gwagedd, peth saledd a swŷn,
> Difyrwch mwy hynod sy yng nglan medd'dod mwyn.

Mae'n mynd ymlaen i adrodd helyntion carwriaethol Beti a Cadi:

> Pan welais i Betti, fel Lili yn fun lon;
> Gan wynned ar Eira, sy'n gorwedd ar fron,
> Fy nghalon ai carodd, rhiwfodd yn rhy fawr,
> Wrth weled hawddgared a gwyched ei gwawr,
> Ei pharab' am hudodd, hi am synnodd I'n siwr,
> Wrth ddwedyd mor wisgi, ei Stori a mawr Stwr,
> Mi ddelltis wrth dreio nad oedd honno ond Hŵr,
> Mi ai rhoesim hi I fynny I synu efo I swŷn,
> Ni fedrwn I wrth siarad moi dirnad hi ar dwŷn,
> Can haws ydoedd Cydfod a Glan Medd'dod mwyn.

> 'Rol hyn eis at Gadi i gydio am ryw hyd,
> Nid oedd un oi Glanach na brafiach o bryd,
> Un ddiwiol ar Olwg, mae'n amlwg y Nod,
> Hi fedrai Ragrithio er mwyn cleimio Clod,
> Mi ddelltis ei meddwl yn gwbwl i gyd,
> Mae i serch oedd ar wychder neu bower y bŷd,
> Ai H'wllys oedd twyllo neu foedro yr holl fŷd,
> I honno rhois Ffarwel yn dawel ar dwŷn,
> Rwi'n awr yn ymwneythyd, I symmud oi swŷn,
> Gwell gini o beth hylldod, Gael Glan Medd'dod mwŷn.

> Tra byddaf mewn Tafarn, yn Gadarn ddigŷdd,
> Mi fyddaf fwyn eiddlan a diddan bob Dŷdd,
> Caf fŷw wrth fy mhleser Iawn hyder o hŷd,
> 'Nol meddwl fy nghalon bydd bodlon ym byd,
> Ped faseu Gwraig genni, dyroidi dirol,
> Hi fase'n bonllefen, yn filen ar fy ol,
> 'Rwi'n ddedwydd odiaethol, nad eithum mor ffol,
> Dowch llennwch y Gwpan wyr diddan ar dwŷn,
> Hyd at y ddau ymul yn syfyl er swŷn,
> I ddyn a gar ddiod a Glan Medd'dod mwŷn.

Ar yr un pryd, mewn cân a ddyddiwyd 1768 ganddo, mae John Jones yn cynghori pawb 'I beidio â chanu gida'r Tanneu i'w chanu ar Heavy Heart', oherwydd:

Natur Canu gida'r tanneu,
A fagodd lawer iawn o ddrygeu,
Medd'dod a segurydd hefyd,
A drwg fychedd ac afiechyd.

Ac mewn cyfres o bum englyn (gwallus eu cynghanedd, rhaid nodi) mae'n rhybuddio holl feibion a merched ifanc y fro i fod yn wyliadwrus o'r 'Frech losg' a dorrodd allan ym Mangor yn 1771. Dyma ddyfynnu'r ddau englyn cyntaf:

Pob llangc sy'n Ifangc a nwyfus – Gochelwch
    Y chwilod Trachwantus
    Mae nifer yn anafus
    Ar tân yw crwyn 'o tan ei crys.

Pob meinwen gymen deg arnod – Coeliwch
    Mae calieu rhai'n barod
    Yn byst byw mae'n dost ei bod
    Tân goleu sy yn ei gwaelod.

Un tro ceir bod cydnabod iddo o'r enw Richard Japheth wedi colli ei gariad ac fe ysgrifennodd John Jones gerdd drosto gan ddatgan teimladau'r carwr: 'Tost yw hyn tystia i o hyd, enbyd iawn iw'. Wrth ddarllen ei gynhyrchion barddol perthnasol i ferched fe'n temtir i gredu mai sôn am ei brofiadau personol gan ddefnyddio'i awen i gyfleu ei deimladau ar y pryd a wna, ond mae'n fwy tebygol mai ar gyfer cynulleidfa y cyfansoddodd ei gerddi ysgafn, ac mai parhau â hen draddodiad y beirdd gwlad yr oedd. Rhof yma enghraifft o'i allu i ganu clodydd merch ar yr un llaw ('Mawl Merch' i'w chanu ar y mesur 'Charity Mistress'), a'i allu i'w gwawdio ar y llaw arall yn 'Deg Math o Ferched':

**Mawl Merch**
Yr odiaeth fun garedig,
Clyw gynnig cân, y linos lân,
Ti haeddit fawl yn ddiau
Ar dannau moddau mân,
Tydi yw'r fwya' a gares,
Y lodes lon, hyfrydol fron,
Tydi yw'r lana' ar luni013
Iawn gred ar ddaear gron;
Tydi yw'r fenyw fwynedd
A blodyn Gwynedd gweddedd gwiw;

Tydi sydd ben pob lodes wen,
Mun gymen, lawen liw;
Tydi yw Fenws Cymru,
Feingefn fwyngu, wisgi wedd,
Tydi'r un pryd, hyfrydol fryd,
A'm gyrr o'r byd i'r bedd.

### Deg Math o Ferched
Y gynta sydd o natur mochyn,
Yn ddigon budur, hyll a gwrthun;
Yn ei byw ni bydde gymen,
Mae'i thy'r un fath a gofer tomen.

Yr eilfed sydd o natur llwynog,
Bydd naill ai'n dda neu'n ddrwg gynddeiriog
Yn ei byw ni bydde llonydd,
Heb ymhel â rhywbeth beunydd.

Natur mul sydd yn y drydydd,
Dwl a fydd, a digon llonydd;
Ffol wrth natur, a phur ufudd,
Ni bydd fawr well er caffael cerydd.

Wedi bwrw ei sarhad fel hyn am saith pennill arall, gan gyffelybu'r gwahanol fenywod i fôr, cath, mwnci, pioden, tylluan a gwenynen, mae'n gofyn:

Dwedwch bellach, lancie dibris,
Pa'r un o'r rhain a wnewch chwi ddewis?
Mi ddalia am bunt na fedr cibddall
Ffeindio byth un ffasiwn arall.

Trigai John Jones mewn oes pan oedd traddodiad y canu Gŵyl Fair yn parhau mewn bri. Ysgrifennodd garol ar gyfer ei 'chanu yn drws' dan y teitl 'Pricsiwn', i'w chanu ar y mesur 'Mari Fwyn'. Dyma rannau ohoni sy'n dechrau gyda'r cantorion yn erfyn am gael mynediad i'r tŷ:

Considrwch chwi ei bod hi'n law,
A'r gwynt yn chwythu oddi draw,
Ar ol trafaelio dŵr a baw,
Geill fod yn fraw i'n calon.

O teflwch heibio y troelle gwlan,
Rhowch fawn a thywyrch ar y tân,
A gwnewch yr aelwyd yn bur lân
Cewch glywed diddan ganu;
A rhowch y gader ar y llawr,
A morwyn ynddi wisgi wawr,
'R ifenga sy'n eich ty chwi'n awr,
Gwnawn ganu mawr o'i deutu.

Gollyngwch gwrw lonaid crwc,
A thostiwch fara, lana lwc,
Ein boliau'n blaen a ddeliff blwc
Onid oes ryw anlwc arw;
Ni wiw i neb, mi ddweda i chwi,
Mo'r gwneuthur nad i'n herbyn ni,
Ni gurwn bawb drwy'r wlad yn ffri
Os cawn ni brofi'ch cwrw.

Daw'r gair 'pricsiwn' o'r Saesneg *Prick song* ac fe'i defnyddid yn Lloegr i gyfeirio at gerddoriaeth ysgrifenedig neu argraffedig. Ysgrifennodd John Jones garol arall o'r un teitl, sef 'Pricsiwn Gŵyl Fair'; cân dri phennill yw hon i'w chanu ar dair alaw wahanol, sef, 'Ffarwel Gwŷr Aberffraw', *'Country Bumkin'*, a *'Pilgrim'*. Yr un yw'r neges yn hon fel sydd yn y garol flaenorol, sef galw am gael mynediad i'r tŷ:

Y Teulu mwyn foddeu, egorwch eich dryseu,
Yn lan eich Caloneu, ac hwyl union;
Gadewch i ni ymdwmo, 'ry'm ni agos a starfio,
Fe ellwch ein coelio, och gwir galon.
Dowch, dowch y Wraig rasol a gwnewch i ni groeso,
A chimin o gwrw ac alloch chwi gario . . .

Ac wedi'r rhialtwch mae yr un mor daer wrth ddatgan ei ddiolchgarwch yn y 'Garol diolch nos wyl Fair':

Can diolch wyr dilus awch hoenus i chi
Eich croeso oedd yn barod iawn nod yma I ni . . .
Ni gowson ein digon, wedd burion or bir
'Rym ni wedi meddwi, dowch a g'leuni yma yn glir
Yr ydym yn gweld y tŷ yn troi, mae'n penneu y rwan wedi ymroi
Ein traed o tanom sydd yn ffoi, mae'n rhowur I ni
Geisio myned allan, y mhle mae'r drws y rwan wyr breulan ei bri.

Ar wahân i'r caneuon yfed a'r cerddi helyntion serch ceir yn llawysgrif 346B nifer o gerddi gofyn megis 'Penhillion i ofyn ffon gan W. Prichard, Pentir' a 'Cherdd i ofyn gwnn gan Thomas Edwards' a cherddi digrif a sawl carol blygain faith. Adroddir hefyd am dro trwstan dau leidr wrth ddwyn cwch gwenyn, ac am y ' . . . dyn a laddodd Lwdwn du, gan feddwl mai cythrel oedd'. Ymhellach, ceir 'Cerdd ysmala o hanes fel ac y darfu i ebolas redeg i dy cymydog a cholli padelled o Frecci' ac 'Anerchiad at brydyddion penchwiban Weyn baw gwyddeu'.

Buasai o fudd cael gwybod beth yn union oedd y berthynas rhwng John Jones a Thwm o'r Nant, os bu perthynas felly o gwbl. Gwelir mai wedi ei rhwymo gyda phedwar ysgriflyfr arall y mae'r gyfrol o waith John Jones, sef tudalennau rhif 49-204 sydd yn ei lawysgrifen ei hun. Mae tudalennau rhif 1-48 wedi eu hysgrifennu yn rhannol gan Dwm o'r Nant a chynnwys nifer o'i waith anghyhoeddedig. Ysgrifennwyd gweddill y llawysgrif gan David Jones o Gaeserwyd. Credir mai o Henllan ger Dinbych y daeth John Jones i Landdeiniolen i gadw ysgol ac mae nodweddion tafodiaith o du hwnt i derfynau Arfon i'w gweld yn ei gerddi. Mae geiriau megis 'milen', 'cellwer', 'afieth' a 'geirie' yn awgrymu hyn.

Gellir, gyda hyder, gyfri John Jones yn fardd nodweddiadol o flynyddoedd canol y ddeunawfed ganrif; bardd a oedd yn hoff o oganu yn ogystal â chyfansoddi cerddi moesol ac roedd yr un mor gartrefol yn y naill gywair a'r llall. Hawdd ei ddychmygu wrth fwrdd mewn tafarn fin nos yn mwynhau cwmnïaeth ei gyfeillion, cetyn yn ei law a phot cwrw wrth ei benelin:

> Pibell wen ar ben bwrdd . . . a chanwyll
> Iw chynneu hi ond cyffwrdd
> Diodan gyda dadwrdd
> Un ffest cin myned i ffwrdd.
>
> Dowch, Pibell wen ar ben bwrdd
> Trwy bur foes a bir I fardd
> Sy wr cu yn caru Cerdd
> Mwyndeg ffair, cin mynd i ffwrdd.
>
> J. Jones.

# Huw'r Saer

Olynydd i William Bifan a gŵr o'r un ardal oedd Huw Jones; saer coed wrth ei alwedigaeth a drigai ym Mhen y groes, ffermdy a safai rhwng Ffrwd Cae Du a Dinas ar y briffordd sy'n arwain o Gaernarfon i Bwllheli. Bu gweithdy saer ynghlwm wrth y lle yn oes Huw Jones, a gefail gof hefyd yn ystod yr ugeinfed ganrif.

Mae'n amlwg fod barddoni a dychanu yng ngwaed Huw Jones fel yng ngwaed ei gyn-gydardalydd William Bifan, ond erbyn cyfnod yr hen saer roedd Cymdeithas yr Eryron wedi ei ffurfio ac yntau'n aelod ohoni. Roedd enw Dafydd Ddu yn adnabyddus i bawb erbyn hyn ac yn ôl yr hen arferiad o gyfarch mewn cynghanedd, meddai wrth Huw Jones un tro wrth alw heibio iddo ac yntau'n agor ffynnon:

Beth yw'r swydd Huw'r saer?

Ond yr oedd Huw Jones yn barod gyda'i ateb ac meddai:

Tynnu dŵr o galon daear.

Arferai Cymdeithas yr Eryron, neu 'Gywion Dafydd Ddu' fel y'u gelwid, gyfarfod yn nhafarn y *Bull* yn y Bontnewydd i gynnal yr hyn a alwent yn eisteddfodau, sef math o Dalwrn y Beirdd, a Dafydd Ddu yn Feuryn. Roedd William Williams, Bodaden, ymysg y beirdd a ymgynullai yn y *Bull* a'i frawd ef, sef Ifan Williams, oedd y tafarnwr. Yr oedd cymeriad y brodyr hyn yn dra gwahanol. Roedd William yn ŵr parchus a boneddigaidd, yn llwyddiannus fel amaethwr ac yn flaenllaw mewn cymdeithas, ac Ifan i'r gwrthwyneb yn meddwi'n gyson ac yn ddiofal o'i hunan a'i fuddiannau. Hawdd yw dychmygu'r cyfarfodydd llenyddol hyn yn y *Bull* gyda landlord meddw a'r rhan fwyaf o'r cwmni mewn cyflwr lled debyg fel yr âi'r noson yn ei blaen. Yr oedd cryn dipyn o waith cerdded yn wynebu'r beirdd ar ddiwedd y noson hefyd ar hyd ffyrdd a llwybrau tywyll a garw.

Yn ôl tystiolaeth Dafydd Ddu, nid oedd pob un o'r cyfarfodydd hyn yn cael eu cynnal mewn awyrgylch frawdgarol a chytûn. Mewn llythyr at Gutyn Peris (aelod arall o'r Gymdeithas) mae'n rhoi crynodeb o'r digwyddiadau yn ystod un o'r eisteddfodau a gynhaliwyd yn haf 1813. Huw Jones, Pen y groes oedd dan y lach yn y llythyr am ei fod wedi dod yno mewn pâr o glocsiau a heb ddimai yn ei boced, ond roedd wedi yfed peth diod ar gost rhywun arall. Mae'r Du yn cyhuddo Huw Jones o beidio dod ag arian gydag ef yn fwriadol. Yr oedd Dafydd Ddu yn byw yn y Dolydd gerllaw y Groeslon ar y pryd, yn ôl pennawd y llythyr, ac yr oedd yn hwyr arno'n cael cychwyn am y Bontnewydd oherwydd galwadau ei swydd fel ysgolfeistr. Mae'n debyg mai yn Llandwrog y dysgai ar y pryd. Cyfarfu â William Williams, Bodaden oedd ar ei ffordd adref wedi blino disgwyl amdano yn y *Bull* a phan gyrhaeddodd cafodd gerydd am fod yn hwyr gan weddill y 'cywion', Richard Jones yr Erw,

Richard Hughes Ty'n Lôn Bodaden ac Owain Gwyrfai. Nid dyma'r unig gerydd a gafodd Dafydd Ddu y diwrnod hwnnw; cafodd dafod hefyd gan ei wraig pan ddaeth adref y noson honno am na fuasai wedi gadael y *Bull* yr un adeg â Huw Jones.

Ymddengys bod Huw'r Saer wedi darllen un gerdd o'i waith, yfed gweddill ei ddiod, a gadael. Cafodd ei feirniadu'n hallt iawn am ei ymddygiad gan weddill y cwmni a'i gyhuddo o fod yn hunanol ac anghymdeithasol. Cybydd ydoedd yn ôl y beirdd ieuengaf ac yn dipyn o ŵr mawr heb reswm dros fod felly.

Wrth gwrs, nid hwn oedd y tro cyntaf i Huw Jones ymweld â'r *Bull* ac mae'n fwy na thebyg ei fod wedi treulio oriau difyr iawn yno yng nghwmni ei gyd-feirdd mewn cyfnod cynharach. Yn ôl un hanesyn ceir ei fod wedi galw yn y dafarn hon un tro a Dafydd Ddu yno o'i flaen ac meddai'r saer gan geisio brathu'r Du:

> Dafydd Ddu o 'Ryri
> Sydd yma'n dechrau meddwi.

Ond brathodd Dafydd Ddu yntau'n llymach yn ôl:

> A Huwco hefyd yr un modd
> Sy'n treinio i'r un trueni.

Trosglwyddwyd y llinellau uchod ar lafar gwlad o un genhedlaeth i'r llall ac o'r un ffynhonnell hefyd y daw'r atgof bod Huw Jones yn ŵr crefyddol a sobor iawn. Mae hyn efallai yn wir cyn belled â bod blynyddoedd diweddar yr hen saer dan sylw, a digon teg yw nodi mai yn ystod cyfnod ei ddiwygiad y digwyddodd yr helynt yn yr eisteddfod yn y Bontnewydd.

Cnewyllyn yr anghydfod a fu rhwng Dafydd Ddu, ei 'gywion', a Huw Jones oedd mai Eglwyswyr oedd y mwyafrif ohonynt a Methodist oedd yntau. Meddai Dafydd Ddu: 'Dywedir mai pobl grefyddol, gaethion at Feirdd, ydyw teulu H.J., a'u bod yn anfoddlon iddo ddyfod i'r Gymdeithas'. Roedd Huw Jones wedi ei bechu gan Dafydd Ddu hefyd ynglŷn â phenodi caniadau rhyw destun blaenorol oedd gan y Gymdeithas. Rhwng hyn i gyd aeth pethau o ddrwg i waeth: 'Ysgatfydd iddo ddigio wrthyf oherwydd na chafodd fod yn rhannog gyda mi, i benodi'r Caniadau ar y testun o'r blaen'. Un o'r Ymneilltuwyr felly ydoedd Huw Jones ac mae'r Du yn eu condemnio yn ei lythyr: 'Caethion iawn ydyw'r Sectwyr i gefnogi gwaith neb ond gwaith rhai o'u brodyr, bid gwaith rhywyn arall ar y testun gorau oll, ni edrychir arno ond yn oeraidd'.

Gwelir felly nad oedd Dafydd Ddu yn orhoff o'r 'Sectwyr', chwedl yntau, er bod ei dad, Thomas Griffiths, a'i frawd, John, yn Fethodistiaid rhonc. Ar y llaw arall byddai Huw Jones yntau yn falch o unrhyw gyfle i roi pin yn swigan yr Eglwyswyr.

Fel bob prydydd arall yn yr oes honno roedd Huw Jones yn hoff o gyfansoddi cerddi i ddychanu'r sawl nad oeddynt yn hoff ohono, ac os oedd gwrthrych y pill yn Eglwyswr, gorau oll. Dywedir bod clochydd Llanwnda ar y pryd yn hoff iawn o'i beint ac nid oedd pall ar ei gynllwynio i wneud arian i ddiwallu ei anghenion. Un o'i syniadau yn y cyswllt hwn oedd dyfeisio stori gelwyddog bod awdurdodau'r Eglwys wedi penderfynu codi treth at gynnal y Milisia lleol. Rhag ofn iddo gael ei ddal yn twyllo yng nghyffiniau ei gartref aeth i gyrion uchaf y plwyf, sef Betws Garmon, a datgan wrth y trigolion yno mai ef oedd wedi cael ei benodi i gasglu'r dreth newydd. Ar ei ffordd yr oedd wedi archebu cinio mawr iddo'i hunan yn y *Betws Inn* ac wedi casglu swm sylweddol o arian aeth yn ôl i'r dafarn i wledda ar draul y werin. Buan iawn y daeth yr hanes i glustiau Huw Jones a lluniodd gerdd i ddychanu'r clochydd dichellgar:

> Yn y Betws bu yn bwyta
> Ran dda o'r helfa hon.

Dichon fod Huw Jones yn cael y teimlad bod amryw o aelodau Cymdeithas yr Eryron wedi digio wrtho am ei fod yn mynychu Capel Brynrodyn a bu'n arolygwr Ysgol Sul yno am gyfnod. Ffieiddiai Dafydd Ddu a llawer o'i gyd-feirdd y culni Piwritanaidd fel y gwelent hwy anghydffurfiaeth, ond er yr holl anghydfod a'r lladd ar y naill a'r llall a oedd yn digwydd ymhlith y beirdd gwerin mae'n rhaid derbyn nad oeddynt yn dal dig, ac efallai mai mwy o dwrw nag o daro oedd llawer ohono.

Dair mlynedd yn dilyn y digwyddiad yn y *Bull* cyhoeddodd Gutyn Peris ei lyfr *Ffrwyth Awen* a gwelir ynddo dri o englynion Huw Jones yn canu clodydd yr awdur. Dyma un ohonynt:

> Gorhoffir geiriau Gruffydd, – a'i ddinam,
> Hardd, ddoniol Awenydd:
> Rhagorwaith ei fawrwaith fydd
> Iawn glodwych yn y gwledydd.

Fel pob aelod o Gymdeithas yr Eryron roedd Huw Jones wedi meistroli'r cynganeddion a defnyddiai hwy yn ei emynau, ond nid yn llwyddiannus bob tro. Cyhoeddodd chwech o'i emynau yn *Eurgrawn Môn* (Mehefin 1825) dan y teitl 'Emynau Newyddion ar Lwyddiant yr Efengyl'. Dyma ran o'r emyn cyntaf:

> Ehedeg mae disglair genhadon,
> Cyhoeddant newyddion am waed,
> A gliria holl fynwes dufewnol,
> Llawn daliad digonol a gaed:
> Fe welir hardd dyrfa ddiderfyn,
> Er gwaetha pob gelyn, ar gael,

Y Betws Inn *fel y mae heddiw (Llun: yr awdur)*

Oherwydd bod Iesu'n dywysog,
Galluog, hoff enwog, ddiffael.

Dyna ochr efengylaidd a sobr Huw Jones ond rhaid cofio, er holl ragfarnau ei gyd-feirdd tuag ato, ei fod yn dal yn hoff o lymaid gymhedrol, er nad ar ei gost ei hun bob tro. Roedd hefyd yn barod bob amser gyda'i benillion digri pan ddeuai ar draws tro trwstan; hen arferion yr ymlynodd wrthynt er ei fod yn ôl pob sôn wedi cefnu arnynt.

Mae sôn amdano, tra oedd yn gweithio yng nghyffiniau Llanfaglan ger Caernarfon, yn gweld ysgarmes rhwng morwyn Plas Llanfaglan ac un o'r gweision. Roedd Marged Ifan yn gymanfa o ddynes fawr gref a chadarn a phan gafodd ei digio gan y gwas rhoddodd eithaf curfa iddo efo rhaw. Roedd Huw Jones yn dyst i'r cythrwfl ac meddai wedi i'r storm dawelu:

Modryb Marged Ifan,
Pe cawsai raw neu sheflan,
Ni hidia ddim a chwympo i ma's
A phawb ym Mhlas Llanfaglan.

Ceir cofnod o farwolaeth Huw Jones yn *Eurgrawn Môn,* Awst 1825, dan y pennawd 'Barddoniaeth' a gwelir englynion o waith Richard Jones (Gwyndaf Eryri) iddo. Roedd awdur yr englynion hyn yn ôl pob golwg wedi hen faddau i Huw Jones am yr helyntion a fu:

Chwith gennyf, a chaeth gwyno – yw edrych
	Yn odrist gan wylo;
	Briw i'r iaith oedd bwrw i ro
	Huw ap Ion – anhap heno.

Newid ei lais yn adail Ion, – o gwyn
	I ganu Cerdd Seion;
	Nid croes yr einioes frau hon
	Tan y cur, ond dwyn coron.

Yn ôl Richard Jones, roedd Huw'r Saer yn fardd a hanesydd ac fe'i claddwyd ef yn ôl y sôn ym mynwent eglwys Llanwnda, er nad oes faen i nodi'r fan. Mae'n rhaid nodi cyn dirwyn hanes Huw Jones i ben fod rhywrai yn honni mai yn ardal Nantlle y bu'n byw flynyddoedd olaf ei oes a'i fod wedi ei gladdu yno.

*Yr Erw Ystyfflau fel y mae heddiw (Llun: yr awdur)*

# Dic yr Erw
## Richard Jones (Gwyndaf Eryri, 1785-1848)

Soniais eisoes fel y byddai gwerinwyr Arfon yn cyfarfod ar y Suliau mewn safleoedd arbennig i greu adloniant ac yr oedd llain o dir ger yr Erw Ystyfflau sydd rhwng Rhostryfan a'r Bontnewydd yn cael ei gyfrif yn un o'r safleoedd hynny. Yno, yn ôl Owain Gwyrfai, 'byddai tyrfaoedd yn ymgasglu at ei gilydd i chwarae cardiau, neidio, taflu maen a throsol'. Yr oedd y Gwaredog Isaf ger Waunfawr hefyd yn nodedig am y cardiau yn ystod yr un cyfnod. I awyrgylch yr arferion hyn y ganed Richard Jones yn 1785, yn fab i John Jones a Margaret Roberts. Fel Dic yr Erw yr adwaenid ef yn lleol ac yn ddiweddarach fe'i adwaenid fel Gwyndaf Eryri ym myd barddas. Amaethwr ydoedd yn ystod blynyddoedd ei ieuenctid a chesglir ei fod yn dra medrus yn y gorchwylion hyn yn enwedig cau bylchau mewn cloddiau cerrig. Ei hoffter o'r orchwyl hon mae'n debyg a'i hysgogodd i ddysgu crefft y saer maen pan oedd tua ugain oed.

Daeth i'r amlwg fel chwaraewr chwibanogl dawnus a chyfrifid ef yn un o'r rhai mwyaf medrus yn ei oes; bu'n brif 'ffeiffar' gyda Milisia Caernarfon am flynyddoedd. Ymddiddorai hefyd mewn canu cerddi, baledi a charolau gan gynefino ei hun â'r holl fesurau Cymreig. Prin ydoedd cyfleusterau addysg ar gyfer ieuenctid yr oes honno, ac yn enwedig felly i lanciau o ardaloedd gwledig ac anghysbell fel yr Erw Ystyfflau. Yn wir, ychydig iawn o rieni a feddyliai am roi addysg i'w plant ond er yr holl anfanteision hyn llwyddodd Richard Jones i ddysgu darllen ac ysgrifennu. Rhaid cofio nad oedd na chapel nac Ysgol Sul yn yr ardal bryd hynny ac yn ôl Owain Gwyrfai 'roedd y Llan yn rhy bell ond ar y Pasg a'r Sulgwyn'.

Yn ystod degawd cyntaf y bedwaredd ganrif ar bymtheg dechreuodd W.A. Madocks ar y gwaith o adeiladu morglawdd ar draws y Traeth Mawr; dyna pryd y sylfaenwyd Tremadog hefyd. Yr oedd Richard erbyn hyn wedi meistroli crefft y saer maen a dywedir iddo weithio ar amryw o dai yn ardaloedd Rhostryfan a Moel Tryfan, lle'r adeiladodd y Brithdir – ar ôl cau darn o'r mynydd am y terfyn â Cherrig y Sais – i John Roberts, tad Glasynys (Owain Wyn Jones, 1828-70). Owen y Brithdir y gelwid Glasynys yn lleol. Symudodd Richard Jones i fyw i blwyf Penmorfa lle cafodd waith ar y morglawdd yn ogystal â'r tai a'r pontydd newydd. Tra oedd yn trigo yn yr ardal hon daeth i'w ran ddau ddigwyddiad pwysig – cyfarfod â merch ifanc o Benmorfa a'i phriodi, a dod i adnabod y bardd enwog Dewi Wyn o Eifion (David Owen, 1784-1841) gan ennyn cyfeillgarwch a barhaodd weddill ei oes. Symudodd yn ôl i fyw i'r Erw ger Rhostryfan gyda'i wraig a chafodd waith am ysbaid ym melin Glynafon.

Yn 1818 cyhoeddodd ffrwyth ei gynhyrchion barddol mewn cyfrol yn dwyn y teitl *Peroriaeth Awen; sef Awdlau, Englynion, Carolau a Cherddi Newyddion ar Amrywiol Destynau*. Arwyddwyd y gwaith 'Gan Richard Jones, Erw, Llanwyndaf, neu Gwyndaf Eryri'. Yr oedd yn dair ar ddeg ar hugain mlwydd oed adeg cyhoeddi'r llyfr ac felly nid ymddengys ond rhan fechan o'i waith ynddo. Ychydig, efallai, o drigolion Arfon erbyn hyn sydd wedi clywed am Richard Jones yr Erw, neu Gwyndaf Eryri y bardd, ond mae ei gyfrol *Peroriaeth Awen* yn dyst i ffrwyth awen sy'n nodweddiadol o fardd gwlad a oedd yn feistr ar y mesurau caeth. Yr ydym yn ddyledus i Owain Williams Waunfawr (Owain Gwyrfai, 1790-1874) am roi manylion bywyd Richard Jones ar gadw mewn llawysgrif a hefyd i Myrddin Fardd am gyhoeddi rhai o'i lythyrau yn y gyfrol ddefnyddiol *Adgof Uwch Anghof* (1883).

Yn ôl Owain Gwyrfai roedd Richard Jones wedi cyfansoddi amryw o delynegion a charolau yn ogystal ag ambell englyn cyn iddo symud o blwyf Llanwnda i weithio ar forglawdd y Traeth Mawr oddeutu 1808, ond aeth ati gydag arddeliad i ymarfer y mesurau caeth wedi iddo ddychwelyd i fro ei febyd. Mae'n eithaf tebyg mai ei gysylltiad â Dewi Wyn a enynnodd ynddo yr awydd i fwrw 'mlaen ac ymroi i'r gelfyddyd farddol a fu'n rhan mor reddfol o'i gymeriad ers dyddiau ei lencyndod. Ei brif hyfforddwr oedd Dafydd Ddu Eryri a derbyniodd hyfforddiant pellach gan Gutyn Peris (Griffith Williams, 1769-1838) a oedd, yn ôl Owain Gwyrfai, yn rhagori ar Dafydd Ddu fel athro barddol.

# PERORIAETH AWEN,

### SEF

# AWDLAU,

## ENGLYNION, CAROLAU

### A CHERDDI NEWYDDION.

#### AR AMRYWIOL DESTYNAU,

---

## GAN RICHARD JONES,

*Erw, Llanwyndaf.*

#### NEU

## GWYNDAF ERYRI.

---

Ser bore a ddwyreynt
Yn llu i gyd ganu gynt;
Canu'n llon, hoywlon eu hawdl;
Gawr floeddio gorfoleddawdl !

GORONWY OWEN.

## CAERNARFON:

Argraphwyd a Chyhoeddwyd gan P. Evans.

## 1818.

*Gwerth Swllt.*

---

*Wynebddalen cyfrol Gwyndaf Eryri*
*(Drwy ganiatâd Llyfrgell y Brifysgol, Bangor)*

Roedd Richard Jones yn aelod blaenllaw o Gymdeithas yr Eryron a fyddai'n cyfarfod o dro i dro yn y *Bull* ar allt y Bontnewydd cyn symud i dafarn yng Nghaernarfon am fod y cwrw'n sâl ac yn costio grôt y peint. Drwy'r gymdeithas hon y daeth Richard Jones i adnabod rhai a oedd o gyffelyb anian ac yn ôl Owain Gwyrfai, a oedd ei hun yn aelod, 'daeth yn dra hyddysg yn y farddoniaeth, ac yn yr iaith, ymhell tu hwnt i'r cyffredin'.

Symudodd i fyw yn ddiweddarach o'r Erw i Gaernarfon lle y treuliodd weddill ei oes. Yr oedd ei fryd ar gyfansoddi gramadeg o'i eiddo'i hun ac fel y tystia Owain Gwyrfai, 'medrai ddadgymalu awdl o'i beiau yn fwyaf medrus, ac fe ddangosai ei rhagorion, ac yn hyn yn mhell tu hwnt i'r cyn-athrawon'.

Fel y dywedwyd eisoes, ni chynnwys ei gyfrol *Peroriaeth Awen* hanner ei waith a gwobrwywyd ef mewn llawer eisteddfod yn dilyn ei chyhoeddi; priodol felly yw damcanu i'r cyfansoddiadau diweddarach ragori ar ei waith cyhoeddedig. Ystyriai Richard Jones mai Dewi Wyn o Eifion oedd bardd mwyaf yr oes a pharhaodd y ddau yn gyfeillion mynwesol fel y tystia'r mynych ymddiried cyfrinachau a welir yn eu llythyrau.

Ymddengys bod drwgdeimlad a chenfigen yn bodoli ymysg beirdd dechrau'r bedwaredd ganrif ar bymtheg, yn ogystal â baledwyr y ganrif cynt, ac mae hyn yn wir hefyd am Gymdeithas Lenyddol yr Eryron. Daw hynny i'r amlwg mewn llythyr a anfonwyd gan Richard Jones at ei gyfaill Dewi Wyn ar Fawrth y 25ain, 1820. Asgwrn y gynnen oedd cystadleuaeth yr awdl yn Eisteddfod Dinbych, 1819 pan na wobrwywyd awdl Dewi Wyn, 'Elusengarwch', er mai honno a fu'n gyfrwng iddo gyrraedd enwogrwydd fel bardd. Mae'n bur debyg i'r gystadleuaeth achosi cryn chwerwder ymhlith y gwahanol feirdd ac mae Richard Jones yn rhestru gelynion Dewi Wyn yn ei lythyr. Yn bennaf, Robert Davies (Bardd Nantglyn, 1769-1835), yr hwn ynghyd â William Owen Pugh (1759-1835) a Dewi Silin (David Richards, 1783-1826) a feirniadodd awdl Edward Hughes (Y Dryw, 1772-1850) yn fuddugol dros Dewi Wyn; dyfarniad a fu'n bwnc dadleuol ymhlith y beirdd am amser maith. Enwir yn ychwanegol Robert Williams, Bangor; Gutyn Peris ac Ellis Rowland a oedd yn ôl llythyr Richard Jones yn 'wŷr sydd yn dy erbyn yn greulawn; ond un peth sydd dda, maent ddeillion i ryfeddu, nid ydynt yn deall dy feddyliau ond rhyw fan. Meddylir mai Clerfardd Nantglyn, ydyw 'Brytwn'[sic], a ysgrifennodd yn dy erbyn ym mhapur Bangor.' Mae'n amlwg bod Richard Jones yn teimlo'n gryf ynglŷn â'r cam a wnaed â Dewi Wyn ac meddai eto yn ôl *Blodau Arfon* 1869, (Att. tud.35):

Ni phylodd fy ewinedd eto wrth ymgripio gyda'r Cawr Gwan; mi dynaf gig gruddiau y rhai sydd yn pleidio'r Dryw, os na roddant heibio . . . Wrth ddarllen gwaith 'Brutyn'[sic] ryw ddiwrnod cenais Englyn ysmala fel hyn –

Taliesin, maen y tlysau – a wasgwyd
I wisgo 'i beiriannau
Lle rhwygir holl lurygau
Un Brutyn fel bretyn brau.

Dywed un tyst na ddarllenodd Bardd Nantglyn mo awdl Dewi Wyn o gwbl a'i esgus dros beidio â gwneud oedd bod y llawysgrifen yn rhy flêr. Yn yr un llythyr cawn glywed am gŵyn Robert ap Gwilym Ddu (Robert Williams, 1766-1850) a ysgrifennodd lythyr grwgnachlyd (cyhoeddwyd yn *Seren Gomer* ar Ragfyr y 1af, 1819) i gwyno am wobrwyo Gwallter Mechain (Walter Davies, 1761-1849) ar un o destunau Eisteddfod Caerfyrddin, Gorffennaf 1819, gan hawlio mai ef a ddylai fod wedi ennill.

Mae llythyr Richard Jones (Mawrth 25ain, 1820) yn awgrymu mai yn Llandygái y gweithiai ar y pryd: 'Yr wyf yn gweithio ymysg y giwaid ddihiraf sydd dan haul y nefoedd, oddeutu Llandegai. Cobleriaid di ddoniau, a di ddysg o ran dynoliaeth'. Mae'n dirwyn y llythyr i ben gyda'r ôl-nodiad a'r englyn canlynol:

Gwir ydyw'r gair am y clepgwn: mae gennyf dystion laweroedd.

Pwy blant na synant wrth sôn – ofernaws
    Gan farnau'r ynfydion;
Honwyr deill, anniwair dôn,
Agored benau gwirion.

Yr oedd ei sylwadau lawn mor finiog mewn llythyr arall at Ddewi Wyn: 'Nac ymddiried i Gutyn hyd dy fawd; nid oes ei ffalsach tu yma i'r Ganges, ar ôl marw Dafydd, ffei ffei'. Yr oedd Richard Jones yn lladd ar Dafydd Ddu a Gutyn Peris fel ei gilydd a hyn oll, mae'n fwy na thebyg, yn deillio o helyntion cystadlu eisteddfodol. Mae Gutyn Peris yn ei *Hunangofiant* (Bangor Ms 14,678) yn cadarnhau'r ffaith nad oedd pethau wedi bod yn rhy dda rhyngddo a Richard Jones a Dafydd Ddu. Honnai fod ei gyfeillgarwch gyda Dafydd Ddu wedi oeri yn dilyn ei wobrwyo gan y Gwyneddigion yn 1803 am ei awdl i 'Goronwy Owen' ac yn 1810 i 'Jiwbili Sior 3ydd'; meddai Gutyn: 'Ni bu dim angharedigrwydd rhyngof ag un bardd arall yn fy oes, namyn bod dieithrwch rhyngof â Richard Jones . . . am ei fod yn gyfaill i D. Ddu a'i fod yn rhy wann i gadw un math o gyfrinach'.

Er ei fod wedi ei wobrwyo ag ariandlws gan y Gwyneddigion yn 1816 am yr awdl orau ar y teitl 'Coffawdwriaeth Hynafiaid y Cymry a ymdrechasant o blaid rhyddid', mae'n debyg mai awr fawr Richard Jones oedd Eisteddfod Caernarfon 1821 pan enillodd ar yr awdl ar y testun 'Cerddoriaeth'.

Roedd Eisteddfod Caernarfon yn un o bedair eisteddfod bwysig y cyfnod. Cynhaliwyd eisteddfod fawr yng Nghaerfyrddin yn 1819 yn dilyn sefydu'r *Cambrian Society* yn Nyfed yn 1818. Dilynwyd honno gan Eisteddfod Wrecsam yn 1820 a hyrwyddwyd gan Gymmrodorion Powys ac yn 1822 cynhaliwyd un yn Aberhonddu gan y *Cambrian Society in Gwent*. Roedd yr eisteddfodau hyn yn fwy rhodresgar ac uchelgeisiol na'r lleill a chyhoeddwyd testunau Caernarfon yn *Seren Gomer*, y *North Wales Gazette* a'r *Cambrian Journal*. Oherwydd maint y gynulleidfa a ymgasglodd ar yr ail ddiwrnod rhaid oedd symud o Neuadd y Sir i'r castell a pharhaodd y gweithgareddau am bedwar diwrnod. Llogwyd y *Bath Harmonic Society* i berfformio yng nghyngherddau'r eisteddfod ac mewn achlysuron eraill a bu amryw o deuluoedd bonheddig y sir yn yr eisteddfod, yn eu mysg, Arglwyddi Niwbwrch a Bwcle, Ardalydd Môn, Love Jones-Parry ac Esgob Bangor. Bendithiwyd a noddwyd yr eisteddfod gan Gymmrodorion Gwynedd ac roedd cinio wedi ei baratoi i'r pwysigion yn yr *Uxbridge Arms* (y *Celtic Royal Hotel* bellach) gydag adloniant i'r beirdd yn y *Goat*, sef hen dafarn y goets fawr ar y maes, a hefyd yn Sein y Delyn (yr *Harp Inn*) lle y gwnaed rheol nad oedd neb i gael dod i mewn oni phrofent eu teilyngdod drwy adrodd unrhyw englyn Cymraeg. Ymddengys mai ychydig iawn a wrthodwyd. Diweddwyd y gweithgareddau yn weddus iawn gyda dawns yn y *Guild Hall* ar nos Sadwrn.

Yn ystod y diwrnod cyntaf cafodd Richard Jones wybod mai ef a fu'n llwyddiannus yng nghystadleuaeth yr awdl, gyda gwobr o ugain gini. Hefyd gosodwyd testun yr englyn byrfyfyr ar gyfer trannoeth sef 'Gorchestion Ardalydd Môn' neu 'Buddiannau tebygol ymweliad Sior iv â Chymru' ond ataliwyd y wobr o bum gini gan nad ystyrid bod teilyngdod, er bod hanner cant ac un o gyfansoddiadau wedi eu rhoi gerbron y beirniaid. Enillodd Gwilym Padarn (William Edwards, 1786-1857), un arall o ddisgyblion Dafydd Ddu, wobr o ddeg gini am gywydd a bu rhagor o gystadlu a beirniadu ar yr ail ddiwrnod. Cafwyd cystadlu ar ganu'r delyn ar y trydydd diwrnod gyda gornest rhwng un ar ddeg o delynorion. 'Mr Huws o Drefaldwyn' (Wiliam Hughes, 1788-1866, Llansanffraid, telynor mewn gwesty yn Lerpwl) a enillodd y delyn arian a 'J. Morgan o Gaernarfon' ddaeth yn ail. Er hyn y farn gyffredinol oedd mai telynor o'r enw Mr Cunnah (Benjamin Coonah, fl.1815, Rhiwabon) oedd y gorau ond iddo golli arni drwy fethu cadw amseriad y dôn olaf a ganodd. Daeth Coonah yn agos at ennill yn Eisteddfod Wrecsam 1820 hefyd ac yn ddiweddarach gwnaed casgliad i gael tlws arian iddo. Roedd y castell yn llawn erbyn y cystadlu canu penillion i gyfeiliant y delyn ar y bore Sadwrn ac enillwyd y wobr gyntaf o dair gini gan Richard Jones, Llangwyfan, Dinbych.

Rhaid priodoli llwyddiant yr eisteddfod hon i'r ffactorau canlynol. Roedd nawdd a chefnogaeth y gwŷr mawrion yn dylanwadu'n aruthrol ar y gweithgareddau a bu hyn yn ysbrydoliaeth i'r cystadleuwyr a'r eisteddfodwyr i dyrru ynghyd gan greu awyrgylch eisteddfod 'fawr'. Nodwyd yn *Seren Gomer* y ffaith fod rhai o brif feirdd Gwynedd fel Dewi Wyn a Robert ap Gwilym Ddu yn absennol, felly hefyd rai o feirdd y deheudir. Y rheswm am hyn yn ôl y papur newydd oedd 'oherwydd credu ysgatfydd bod pleidgarwch anesgusodol wedi cymeryd lle mewn Eisteddfod flaenorol . . . Eithr nid ydym wedi clywed fod dim o'r fath wedi ymddangos yng Nghaernarfon'.

Mae'n debygol fod Ardalydd Môn wedi plesio'r dorf yn ystod ei araith a chafwyd crynodeb yn Gymraeg ohoni gan Dafydd Ddu: 'Ni bûm erioed yn fwy awyddus i fod yn hyddysg yn yr iaith Gymraeg nag ar yr achlysur hwn fel y gallwn fwynhau yr hyfrydwch o anerch fy ngwladwyr yn eu hiaith eu hunain'. Aeth yr Ardalydd ymlaen i fynegi ei hoffter o wisg Gymreig merched Eryri. Yr oedd yn well ganddo weld wyneb prydweddol o dan het ddu gryno na'r bonedau Ffrengig yr oedd wedi dod yn gyfarwydd â hwy yn ddiweddar. Yn dilyn y sylw yma gan ŵr a oedd yn dipyn o arwr ac yn ffefryn gan lawer, bu cynnydd ym mhoblogrwydd yr het ddu uchel Gymreig yn ôl *Seren Gomer* ac 'ymddangosai agos yr holl foneddigesau yn helfeydd Pwllheli a Chaernarfon ag hetiau duon ar eu penau, y rhai o barch i'r Ardalydd a alwent "Hetiau Môn" '.

Llwyddodd Richard Jones hefyd yn Eisteddfod Dyfed 1823 gan ennill ar yr awdl 'Lles Gwybodaeth' ac yn y Fenni yn 1837 am farwnad i'r 'Bardd a'r Derwydd Gwilym Morgannwg'. Roedd llawer o ddrwgdeimlad a chenfigen yn bodoli tuag at Richard Jones yn ystod y cyfnod a ddilynodd Eisteddfod Caernarfon 1821. Meddai mewn llythyr at Dewi Wyn: 'y mae llawer o ddeutu Caerynarfon yn dweyd na enillaf Eisteddfod byth mwy ar ôl marw Dafydd [Ddu]'. Mae Owain Gwyrfai yntau'n tystio bod cryn gynnwrf wedi codi ynglŷn â'i awdl ar 'Gerddoriaeth' a enillodd y gadair iddo yng Nghaernarfon ac ymhlith y rhai a bleidiodd ei achos yr oedd Gwallter Mechain (Walter Davies, 1761-1849). Dywed Gutyn Peris yn ei hunangofiant yr haerai rhai fod Dafydd Ddu wedi cynorthwyo Richard Jones gyda'i awdl fuddugol ac mae'n debygol mai rhagfarnau o'r fath a fu'n gyfrifol am ledaenu sibrydion enllibus. Ond fe brofwyd y cyfan o'r proffwydoliaethau maleisus yn ddi-sail ganddo fel y crybwyllwyd yn gynharach. Yn 1823, flwyddyn ar ôl marwolaeth Dafydd Ddu, enillodd yr ariandlws yn Eisteddfod Dyfed ac i brofi ymhellach ei allu fel bardd enillodd ei awdl ar y 'Bardd a'r Derwydd Gwilym Morgannwg' gadair iddo yn Eisteddfod y Fenni yn 1837.

Efallai mai digon teg yw nodi, yn ôl tystiolaeth llythyr Richard Jones at Eben Fardd ym mis Hydref 1826, nad oedd yr eisteddfodau cefnog a enwyd eisoes yn plesio'r beirdd bob tro. Daeth Eisteddfod Aberhonddu dan y lach yn ddidrugaredd yn y llythyr hwn a daw i'r amlwg deimladau cryf ynglŷn â Chymreictod y cyfarfodydd hyn. Nawdd Seisnig wrth gwrs oedd yn cynnal yr eisteddfodau hyn ac ar wahân i Arglwyddes Llanofer ychydig iawn o'r boneddigion a wyddai fawr ddim am yr awen Gymreig, ond credent eu bod yn gwneud eu dyletswydd drwy noddi'r diwylliant Cymreig, fel y deallent hwy ef, sef dynion yn canu penillion i gyfeiliant y delyn.

Mae sylwadau Richard Jones yn dangos fel yr oedd yn pryderu am ddyfodol yr eisteddfod tra bod dylanwadau estron yn chwarae rhan mor flaenllaw ynddi gan danseilio ei Chymreictod. Yn Eisteddfod Caernarfon 1821, fel y gwelsom, llogwyd y *Bath Harmonic Society* ac yn Aberhonddu ceir bod cantores Seisnig wedi ei gwahodd i ganu am swm sylweddol o arian i'w gymharu â gwobrwyon y cystadleuwyr. Cythruddodd hyn Richard Jones ac meddai:

Ni bu yr un Eisteddfod o ddechrau'r byd hyd yma mor farwaidd a hono; aeth pob bardd adref wedi ei goroni, ond nid ag anrhydedd, ond â phum'swllt, a dyna a gafodd rhai am eu trafael oddeutu 264 o filldiroedd, rhwng mynd a dyfod, heb na gwlyb na sych ond ciniaw un diwrnod a pheint o gwrw. Mae'r felltith wedi esgor yn Eisteddfod Fawr Caernarfon, ond yn Aberhonddu yr aeth yr etifedd i'w lawn faint. Wel, pwy byth bythol a â'i ar gyfyl Eisteddfod o hyn allan. Un Saesnes am wneuthur nad dylluan, a gaiff bunt, am bob ceiniog a gaiff yr holl feirdd. Talu cant a hanner o bunau am ddatgan un gerdd Saesneg; a choron i'r bardd oedd wedi bod fis neu ddau, neu ychwaneg, efallai, mewn llafur difrifol yn cysoddi awdl neu gywydd! ffei, ffei, ffei. Ni ddaw daioni byth i'r Cymry mewn un achos lle caffo'r Saeson wthio eu pigau i mewn: felly ni ddaw daioni byth o'r Eisteddfod nes diddymu Saesneg a'r Saeson yn gyfangwbl ohonynt.

Teimladau cryf yn wir ond ni wireddwyd ei ddymuniadau i gynnal y prif eisteddfodau yn gyfan gwbl drwy gyfrwng y Gymraeg tan yr ugeinfed ganrif. (Yr unig eithriad posibl oedd 'Eisteddfod y Cymry' Castell-nedd, 1866 a bu'n rhaid i honno droi at gyngherddau Seisnig i geisio talu'r ffordd. Gweler *Gŵyl Gwalia* gan Hywel Teifi Edwards, Gomer, 1980, tt.371-76).

Cynhaliwyd Eisteddfod Cymreigyddion Caernarfon ar Ddydd Gŵyl Dewi 1824 a Richard Jones oedd Bardd y Gymdeithas. Cyfarfu'r aelodau yn Nhafarn y Goron am ddeg o'r gloch y bore cyn mynd i Fwrdeisdy'r Dref lle'r oedd cynulleidfa wedi ymgasglu gyda'u tocynnau i fwynhau'r eisteddfod. Adroddodd Richard Jones awdl a oedd wedi ei chyfansoddi ar gyfer yr achlysur ac agorwyd y gweithgareddau dan olygiaeth gorsedd o feirdd sef Gwyndaf Eryri, Cawrdaf (William Ellis Jones, 1795-1848; hefyd yn un o 'gywion' Dafydd Ddu), Gwilym Padarn, John Rowlands, Pentir ac Owain Gwyrfai. Adroddwyd amryw o englynion a chafwyd anerchiad pellach gan Fardd y Gymdeithas i egluro amcanion yr eisteddfod. Gosodwyd Cadair Gwynedd ar y bwrdd a chyhoeddwyd y testun difyfyr sef 'Adferiad iechyd Arglwydd Newborough'. Y gamp oedd cyfansoddi o dri i chwe englyn unodl union erbyn hanner awr wedi pedwar y prynhawn. Yr enillydd ar gystadleuaeth yr awdl oedd Owain Gwyrfai a ymddangosodd dan y ffugenw 'Eryri Fychan' ac wedi iddo gael ei arwisgo gydag ysnoden gan Richard Jones a Peter Evans cymerodd y gadair a darllenodd ei awdl.

Awdur y cywydd buddugol ar y testun 'Ansawdd yr oes y blodeuodd Gruffydd ap Cynan' oedd John Rowlands o Bentir; ei ffugenw oedd 'Meilir'. Darllenodd yntau ei gyfansoddiad wedi iddo gael ei addurno gydag ysnoden.

William Owen, hynafiaethydd o Gaernarfon, oedd awdur y traethawd buddugol ar y testun 'Cyflafan y Beirdd gan Edward y Cyntaf'. Addurnwyd yntau gydag ysnoden a darllenwyd ei draethawd gan William Williams, ysgrifennydd Cymdeithas Cymreigyddion Caernarfon.

Cafwyd datganiad o hen benillion Cymreig i gyfeiliant y delyn gan William Rowlands, Brynmadog, Llanddeiniolen; William Roberts gynt o'r *Hand*, Llanrwst; Elias Williams a John Williams, sef telynor y gymdeithas.

Wedi'r diolchiadau dychwelodd aelodau'r gymdeithas i ystafell y cyfarfod cyffredinol yn Nhafarn y Goron a galwyd ffugenw awdur yr englyn buddugol, sef 'Alffred' a chododd Robert Owen, Caernarfon. I ddiweddu talwyd y gwobrwyon i'r enillwyr ac yng ngeiriau'r adroddiad swyddogol: 'Cynhaliwyd gwledd gyda phob gweddusder ac ewyllysiant o fawr lwydd i Iaith a Chenedl y Cymry; a'u holl goleddwyr'.

Treuliodd Richard Jones weddill ei oes yng Nghaernarfon gan barhau i ennill bywoliaeth drwy weithio fel saer maen. Bu'n atgyweirio eglwys Llanwnda ac roedd hefyd yn un o adeiladwyr wyrcws y dref. Yn amlach na pheidio ceir mai'r penillion rhydd, doniol a phrofoclyd a luniwyd gan feirdd y cyfnod hwn oedd fwyaf tebygol o oroesi ar lafar gwlad, ond yr oedd hoffter Richard Jones o'r mesurau caeth yn peri iddo ymlynu wrth yr hen ganu Cymreig, eithr nid yn gyfan gwbl.

Cyfansoddodd amryw o garolau ac yn ôl arferiad yr oes yr oeddynt yn hirfaith. Ysgrifennodd faled hefyd yn adrodd hanes trychineb a ddigwyddodd ar Draeth y Lafan yn 1817: 'Cerdd am y galarus ddigwyddiad a fu ar Draeth y Lafan, Ebrill 21, 1817. Richard Jones, Erw, Llanwyndaf, Ebrill 29, 1817. Caernarfon'. Argraffwyd gan R. ac W. Williams.

Mae baled arall o'i waith yn codi clawr yr helynt a fu ym mhlwyf Llanwnda yn dilyn y flwyddyn 1817 pan benderfynodd person newydd y plwyf ddegymu'r tatws a gynhyrchid ar y ffermydd. Gan mai llysiau cymharol newydd i'r wlad oedd tatws bryd hynny nid oeddynt wedi eu cynnwys yn *Terrier* y flwyddyn 1776 ac o'r herwydd daliai'r ffermwyr na ddylent gael eu cynnwys fel rhan o'r degwm. Roedd un arall o aelodau Cymdeithas yr Eryron, sef William Williams, Bodaden yn un o'r amaethwyr a fu'n flaenllaw yn ceisio datrys yr anghydfod ond ym marn y llys y person oedd yn iawn. Nid oes unrhyw ddadl ynglŷn â'r safiad a gymerodd Richard Jones; fe heriodd y person yn hollol ddigyfamod:

CÂN NEWYDD Yn rhoddi hanes am FICAR LLANWYNDAF Mewn ymrafael â'i Blwyfolion AM DDEGWM BYTATWS, &c cenir ar *Queen Bess*.

Mae'n dechrau'n hollol blaen ei farn gan ddamio'r person tatws mewn geiriau ymosodol:

> Clywch hanes hen Ficar ryw bilar helbulus
> Go debyg i bedlar, neu Dincar dywancus . . .
> Nid gormod o dristwch mi unwch am hwnnw,
> Pe buasai'n orhaeddol i bwyso ar ei wddw.

Mae lle i gredu mai o Feirionnydd y daeth y person i Lanwnda yn ôl rhediad y faled:

> Yr aflwydd anfelys a ddaeth i'r Plwyfolion,
> Droi'r ysbryd ofnadwy Afarwy o Feirion;
> I Arfon yn orthrwm, a rhigwm yr hogiau,
> Eu cân ar bob mesur yn bur hwyr a borau,
> O'i ledol canlynant a geiriant ryw Gorws
> Pa arswyd na hidiai Y PERSON BYTATWS.

A dyna sut yr adwaenid y gŵr anffodus hwn byth mwy, fel 'Y Person Tatws'. Â'r faled ymlaen fesul pennill gan ddatgan fel yr oedd y person yn 'rhwyfo' ei ffordd 'drwy'r Efail a'r Felin' gan ddegymu popeth a welai:

> Y Llaeth, Caws, ymenyn am wych enwyn mae'n chwannog,
> Ffa, pys, a phob peth, i'r dreth fawr doreithiog,
> Fe lwngc yr Offeiriad fel ychen culion Pharo;
> Y cyfan a roddir a dim yn arwyddo!

Mae hefyd yn honni bod y gwragedd yn ei felltithio:

> Yr hen wragedd sy'n rhegi a gwaeddi drwg iddo,
> Peth rhyfedd oll iddynt na buasent yn llwyddo;
> A gwneud i fytasen yr un na fa'i'n toesi,
> Lynu yn ei sefnig, er peryg cornpori!!

Roedd y Person Tatws yn waeth na Pharo, yn 'gasach na Chaisar', ac fe â'r dychanu ymlaen yn ddidrugaredd gan wawdio a dweud ei fod fel brân yn 'cuddio'n y cloddiau' ac yn

> Gwylio'r bytatws o'i gwtws barcutan;
> A deil i weryru fel diawl ar ei arian.

Hyd yn oed o'i bulpud ar y Suliau mae'n pregethu ei hawliau, ac yn

> Sôn am ei ddegwm yn ddigon di-ddiogi;
> Y perchyll a'r gwyddau a phob peth fo'n weddus,
> I wneud ei fywoliaeth yn hynod ofalus;
> Ond am ei fawr ragrith, trwy deirllith, tra'n darllan,
> Na phregeth ni phiodd deilyngu dwy ffaean.
> Nid ydyw'n werth blewyn i undyn ei wrando,
> Yn llesg ac anhydyn, mwy na llais ci yn udo.

Cyn dirwyn neges y faled i ben drwy annog y plwyfolion i brynu 'Darluniad o'ch Ficer am geiniog' mae Richard Jones yn ei sarhau unwaith yn rhagor gan wawdio ei lediaith a'i gyffelybu i ful:

Pan fo yn ymwrwst, fel mul hanner marw,
Nid yw hefo'i lediaith werth llond tîn o ludw.

Dyma felly enghraifft o ddychanu ar ffurf baled a fyddai'n parhau i fod yn destun hwyl ac yn creu adloniant mewn cegin fferm yn ogystal â llofft stabal am lawer hirnos o aeaf. Rhyw bytiau yn cynnwys dwy neu bedair o linellau fyddai llawer o'r cerddi dychan hyn a gedwid yn fyw yn y cof, ac a oedd felly yn debygol o gael eu hanghofio neu eu newid â threigl amser, ond mewn baled argraffedig mae'r hanes yn sicrach o gael ei gadw yn ei ffurf wreiddiol.

Ymhlith papurau Gwallter Llyfni sydd ar gadw ym Mangor mae'r englyn canlynol o waith bardd anhysbys. Tybed ai at 'Y Person Tatws' y cyfeiria?

Offeiriad bron â fferu, – y sala
O'r silod yng Nghymru,
Ei enaid bron a rhynnu,
Sut ddiawl ga'dd hwn siwt ddu?

Croniclodd hefyd hanes llofruddiaeth yn ardal Rhuthun tua 1815 mewn baled saith pennill a gyhoeddwyd yn bamffledyn pedair tudalen gan R. Williams, Caernarfon. Gwyddai Richard Jones yn eithaf da pa fath o gerddi yr ysai'r werin am eu clywed sef trychinebau, tor-cyfraith ysgeler a brwydrau cynhyrfus. Er mwyn ennyn diddordeb ysgrifennodd bwt o ragflas o'r faled gan ei roi ar y wynebddalen:

### CERDD
O alaethus hanes am lofruddiaeth anhydy, a fu gerllaw
Rhuthun, sef I Fab fyned at Ferch oedd yn y tŷ ei
hunan; a'i ladd mewn modd mwyaf echryslon, sef
ei thrawo yn ei phen a phrocer, a thorri ei gwddf o
glust i glust ac wedi hynny rhwygo o'i bogel i'w brest.

Gwelir wrth ddarllen y gerdd mai Margaret Jones oedd enw'r trancedig ac mai yn ei chartref ym Mrymbo gerllaw Wrecsam y'i llofruddiwyd. Samuel Humphreys oedd y llofrudd, yn ôl ei gyfaddefiad ei hun. Ei chariad a oedd wedi dod ati i gadw oed ydoedd, yn ôl rhai.

Daeth ati ddyn (medd rhai'n rhith carwr),
A ffals wynebpryd,
O draws fryd e droes yn fradwr!
Y fall a'i pricia, cymerai'r procer,
A dwys gilwg du ysgeler;
Ag ar ei phen fe'i trawodd ddwywaith,
Gyda hwn; (y du gydymaith).

Ar hyn rhedodd am y drws ond wrth glywed y ferch yn griddfan aeth yn ei ôl gyda chyllell yn ei law:

> Ag yn ei gwddf mewn hyll agweddiad,
> Hefo hon rhoi fawr wahaniad,
> Ac eilwaith yn ei bol fe'i dodai,
> Ei hymysgaroedd a agorai; . . .
> Yna yr aeth i dŷ cymydog,
> Yn ben uchel
> Ac mor dawel a dieuog;
> A brawd y ferch a ddeuodd adre,
> Lle bu'r mawr-ddrwg,
> Fe gadd hwn olwg o'r anaele.

Galwodd brawd y ferch am gymorth a phwy a ddaeth ato gyntaf ond y llofrudd yn ceisio cuddio'i deimladau ac ymddwyn yn ddi-euog. Er hyn oll yr oedd, yn ôl y faled, beth amheuaeth ynglŷn ag ymddygiad Samuel Humphreys ac aed ag ef o flaen ei well i Ruthun i sefyll ei brawf o flaen yr Ynad:

> Aent a'r anrheithiwr brwnt i Ruthun,
> Yn garcharawr,
> I aros dirfawr iâs ei derfyn:
> Dau ddeg a phump o Fawrth ca'dd yntau
> Ei chwerw dagu,
> I'w ddibenu trwy ddu boenau.

Mae'r faled hon eto yn enghraifft o allu beirdd y bedwaredd ganrif ar bymtheg i barhau'r traddodiad a oedd wedi ei fabwysiadu gan faledwyr y ddeunawfed ganrif o ganu cerdd ar bob math o achlysur, boed hwnnw yn drist neu yn ddoniol.

Dull poblogaidd arall o ganu baled a oroesodd o'r ddeunawfed ganrif oedd drwy anfoniad oddi wrth un bardd at y llall ac wedyn yntau'n ymateb yn yr un modd. Gwelir ymryson farddol o'r fath hefyd ar ffurf penillion telyn, cerddi gofyn, cerddi dychan ac anerchiadau profoclyd. Mae'n debyg fod Richard Jones ac Owain Gwyrfai wedi cytuno â'i gilydd cyn cyfansoddi'r ddwy gerdd a argraffwyd iddynt gan I. Davies, Trefriw, yn 1812. Dyma, gyda llaw, y faled gynharaf i mi ddod ar ei thraws o waith Richard Jones:

DWY O GERDDI NEWYDDION Yn gyntaf anfoniad Owen Williams o'r Waen-fawr, yn arfon; at Rich. Jones o Erwstyffla i ymofyn pa achos, bod cymaint o ddadleuon rhwng proffeswyr a'u gilydd, yngylch Crefydd Yn yr oes bresennol – i'w chanu ar ymadawiad y Brenin. Yn ail Ateb i'r gerdd uchod, ar yr un mesur.

Mae Owain Gwyrfai yn agor y drafodaeth gyda chyfarchiad: 'Y Brawd Risiard, barod reswm' ac yna fe â ymlaen i ymholi mewn pum pennill farn Richard Jones ar y cwestiwn a godwyd yn y rhagymadrodd sydd ar wynebddalen y pamffledyn. Etyb Richard Jones mewn saith pennill a byrdwn ei ymateb yw cynghori 'holl grefyddwyr Cymru a Lloegr' i uno a 'byw mewn isel dymer' gan argymell mawrion y deyrnas i ymwrthod â balchder a grym:

> Pob uchel gampwr balch a gwympa,
> Cur-was swydd-fawr o'i orseddfa . . .

Mae'n dirwyn y faled i ben gyda'r geiriau canlynol:

> I ostwng balchder o'i fawrhydi
> Amen Duw annwyl mewn daioni.

Bu Richard Jones farw ar Fehefin yr 21ain, 1848 a chladdwyd ef ym mynwent eglwys Llanbeblig, Caernarfon. Dyma englyn coffa Clwydfardd (David Griffith, 1800-94) iddo:

> Yn fawr goruwch niferoedd – o fyw urdd
>      Y gwych feirddion ydoedd:
>      Gwron ail i G'ronwy oedd,
>      A Llywarch mewn galluoedd.

# Robert Ellis y Clochydd Awenyddol

Robert Ellis oedd clochydd Llanllyfni am ddeugain a thair o flynyddoedd, o 1829 hyd at ei farwolaeth yn 1872. Roedd yn fardd gwerin rhagorol ac yn awdur nifer o gerddi ysgafn, cerddi gofyn, marwnadau, emynau a charolau, ac fe gyhoeddwyd ei gynhyrchion mewn cyfrol 96 tudalen yn dwyn y teitl *Lloffion Awen Llyfnwy* yn 1852, a *Carolau Awen Llyfnwy* yn 1883, un mlynedd ar ddeg wedi ei farw.

Dechreuodd Robert Ellis ar ei swydd fel clochydd yn dilyn marwolaeth John Williams, ei ragflaenydd, ym mis Gorffennaf 1829 ac yn ôl llyfr cofrestru eglwys Llanllyfni (1813-1837) llofnododd fel tyst i briodas ar Fedi'r 12fed y flwyddyn honno. Flwyddyn yn ddiweddarach ar Awst y 27ain, priododd Catherine Williams o blwyf Llandwrog ac mewn cerdd ofyn i William Jones y gof a gyhoeddodd yn ei *Loffion*, mae'n cyfaddef bod teulu ar y ffordd gan fynd ymlaen i restru gofynion tŷ a rhoi blaenoriaeth i efail a phrocer:

> Mewn dychryn mawr rwyn dechrau myd,
> Bydd raid cael cryd yn sydyn;
> Wrth fod 'run gwely a merch y nos
> Daw eisiau clos neu rwymyn,
> A llestri pridd, a llwya pren,
> Ddoi byth i ben a'u henwi,
> Bydd raid cael cadair, gwn, a 'stol,
> Ow! bobol a noe bobi;
> A choffi pot, a chrochan bach,
> A llarp o gadach llestri.

Do, bu'n rhaid 'cael cryd' o fewn tri mis i'r briodas canys bedyddiwyd plentyn cyntaf Robert Ellis a Catherine, sef William, ar Dachwedd y 14eg, 1830. Ond bu farw William yn dair oed yn 1833 ac ef oedd y cyntaf o saith o blant yr hen glochydd. Ym Mhenbrynmoch y bu'r teulu'n byw am y rhan fwyaf o'u hoes ac yno y ganed y pedwar plentyn ieuengaf. Enw'r tŷ erbyn heddiw yw Bryn Ffynnon ac fe saif â'i dalcen at y ffordd brysur sy'n pasio drwy Lanllyfni am Borthmadog, rhyw led cae o hen eglwys y plwyf. Cyn symud yno fodd bynnag bu'r teulu'n byw mewn o leiaf dri thŷ yn y pentref, ac meddai Robert Ellis:

> Os medraf gael rhyw gwt o dŷ,
> I osod gwely ac aelwyd,
> Bydd raid cael tân yn hwn 'rwy'n hy'
> Rhag rhynnu a chael yr annwyd;
> Ac er cael deunydd tân yn tŷ,
> Mae hynny yn fwy na'r hanner,
> Ni bydd yn hwylus byth, myn dail,
> Heb efail ar fy nghyfer;

Ac ni byddaf chwaith yn dwt
Heb gael rhyw bwt o brocer.

Wrth ddarllen ymhellach sylwir bod y bardd yn erfyn ar y gof i beidio â
llunio gefail a phrocer a fyddai'n rhy drwm ar gyfer ei wraig, ac nid ei
lles hi oedd ganddo dan sylw 'chwaith:

Ni raid eu bod yn gry', fel craig
'Dyw bachau'r wraig ond bychan;
A rhag ofn dygwydd, ar ryw dro,
Ymrafeilio, a mynd yn filan,
Da iawn eu bod os felly bydd,
Rwy'n coelio, yn esgudd ysgafn.

O gwnewch yr efail imi yn glau,
Heb wgu i gau ac agor,
Yn hwylus iawn i drin y tân,
Dan brepian yn bur bropor;
Ac os bydd byth tu fewn i'r bwth,
Ymdaeru a bygwth taro,
Caf finnau'r procer yn fy llaw,
I'w chadw draw, neu dreio;
Rhag ofn cael dul â'r efail dân,
Neu'r hetern – gall fy hitio.

Diwedd y gân yw'r geiniog, ond yn oes Robert Ellis roedd modd cael
drwy dalu ffafr gyda ffafr ac felly y bu yn hanes yr efail a'r procer fel y
tystia'r gerdd wrth ddirwyn tua'i therfyn:

Wel dyma fi yn tewi am tôn,
Yn awr heb son am dalu,
Rwyf yn eich dyled chwi yn o dyn,
Cyn hyn, rwy'n gwybod hyny;
Os eisiau arnoch eto a ddaw
Un achos o law'r Clochydd,
Cewch, byth mewn hwyl, pob peth fel hyn
Gan Robyn, ond rhoi rhybydd;
'Dai ar fy llaw mi wnawn eich lle
O fewn y nef yn ufydd.

Mae'n amlwg i'r gerdd lwyddo yn ei hamcan, o ddarllen y cwpled sy'n ei
diweddu:

Cefais, gan grefftwr cufodd,
Cyfaill cain, y rhain yn rhodd.

Nid enillai clochyddion gyflog cyson bob wythnos ac er mwyn cael
dau ben llinyn ynghyd byddent yn mynd allan i drin gerddi neu drwsio
esgidiau, er enghraifft. Roedd gwaith achlysurol i'w gael yn y chwareli

79

llechi a'r mwyngloddfeydd hefyd. Yn ystod misoedd yr haf byddai clochyddion Llanberis a Beddgelert yn manteisio ar y diwydiant ymwelwyr ac yn gweithredu fel tywysyddion mynydd. Enillent ychydig sylltau hefyd am gyhoeddi achosion y plwyf. Yn dilyn y gwasanaeth ar y Sul âi'r clochydd allan i'r ffordd a gweiddi 'Hai-ho' deirgwaith er mwyn tynnu sylw'r bobl ac yna adroddai ei hysbysebion. Yn ychwanegol at hyn caniateid iddynt werthu cwrw a gelwid yr arferiad hwn yn 'cwrw clochydd'. Yn ôl hen arferiad telid 'arian y rhaw' i'r clochydd am agor bedd, sef ei gyfran ef o offrwm yr angladd a gynhwysai hefyd ei dâl am ganu'r cnul a chynorthwyo'r rheithor.

Roedd gan y rhan fwyaf o bobl ardd lysiau ar gyfer tyfu bwyd i'r teulu a rhaid oedd bod mor hunangynhaliol â phosib yn ystod blynyddoedd tlodi'r bedwaredd ganrif ar bymtheg.

Y tlodi hwn mae'n debyg oedd yn gyrru pobl i ddwyn oddi ar eu cymdogion; meddai hen rigwm:

> Y mae melin ar y Llyfni,
> A'r melinydd yno'n tolli,
> Rhyngddo ef a thwlc y person,
> Y mae'r bobl yn wir dlodion.

Y person a'r melinydd felly oedd y rhai brafiaf eu byd yn ôl yr hen bennill.

Dioddefodd Robert Ellis pan ddaeth yr ysbeilwyr i'w ardd un noson a dwyn ei lysiau. Y lladrad hwn a'i sbardunodd i gyfansoddi cerdd sy'n rhoi hanes y digwyddiad ac fel ym maledi Thomas Roberts o'r ganrif flaenorol gwelir bod Robert Ellis yntau yr un mor ddidostur ei felltithion. Mae'n amlwg o ddarllen y gerdd fod llawer o ddwyn yn digwydd yn y fro:

> Er maint sydd ar led ac amled y lladron
> Sy'n frithion i'r fro,
> Ni ddygant fy awen na'm cân byth o'm co',
> Mi ganaf i'r rhei'ni sydd beunydd i'm poeni,
> Gan sleifio mân gelfi, a hyny yn barhaus;
> Troi allan trwy d'wllwch, i aneddau llonyddwch,
> 'Does dim a geiff heddwch a fwriwch i faes,
> Gan ddynion anynad, drwg fwriad, drofaus;
> Gweis Belial a 'speilia, modd baru 'sguboria',
> Beudai a phob congla' a chwilia'r gweilch hyn; . . .

Dwyn nionod yr hen glochydd a wnaeth yr ysbeilwyr y tro hwn gan ddweud bod llawer o'r farn nad oedd dwyn o ardd yn fawr o drosedd. Anghytunai'r clochydd:

> Mae llawer yn taeru nad yw tori gerddi,
> Fawr ddrwg, ond fel d'reidi, neu bechu yn y byd;

Na thwyllwch eich hunain, mae'n bechod nid bychan,
Ni waeth i chwi weithian, ddwyn arian neu ŷd; . . .

Ac yna mae'n darogan gwae:

Cewch weld o'i ddechreuad, hyd ddiwedd Datguddiad,
Fod melldith am ladrad yn dwad i dŷ,
Y geiniog anheilwng eiff a dwy gyda hi.

Yna mae'n pentyrru'r melltithion ar y lleidr ac wrth dynnu at derfyn y
gerdd caiff dyn y teimlad os y bu i'r euog erioed ei darllen yna mae'n sicr
iddo deimlo rhyw ias o ofn yn gafael ynddo:

Gryn lawer o blaua', mi a'u henwa i hwn;
Pla'r Aiphtiaid, heb rus, y lindus a'r locust,
Blin derfysg eu dau,
I'w dŷ, O pe deuent, a'r llyffaint a'r llau;
Yn wenwyn bo'r wynwyns, i'r peiriad hyll barus,
Cysdowci tra gwancus, anlygus ei lun;
Dymunaf o'm calon i'r rhain fod yn eirwon,
O fewn ei golyddion yn oerion neu wyn, . . .

Gobeithio caiff boen,
I'w groen doed y crynu ar ymgraffu ar ei grwth,
Llawn och, a llwyr nychdod, oer falldod i'w fwth;
Ac hefyd i'r cna, yn gyfa ryw gafod
Penddynod, gryn ddeg,
A'r rhai'n mewn modd atgas o gwmpas ei geg;
Y ddanodd a'r gibwst, clwy melyn, gymalwst,
Nes elo hi'n fawrdrws sydyndrwst, go dèn,
Y pigin tra hegar i'r stincyn, a'r cancar,
A'r colic mewn galar, a'r llyngyr fel lleng,
A godo at y winwyns yn boenus i'w ben;
Y conffylsiwn a'r polsi, wna ei ddwyfron yn ddifri,
Rwyn darogan i'r drewgi wrth bydru gael brad;
Y plâu ar unwaith, sy'n waeth na marwolaeth,
Nes elo'r gwalch diffaith, wrth drin y fath drât,
Yn siampl echryslon i ladron y wlad.

Yn ei ragymadrodd i'w gyfrol *Lloffion Awen Llyfnwy* mae Robert Ellis
yn cynnig ei lyfr i'r darllenydd gyda gonestrwydd gan ddatgan nad yw
ei gynnwys ond ffrwyth 'Awen ddiniwed, heb ymestyn at ddim
goruchafiaeth, na threio canu ar un testyn gwobrwyol; ac nid ymyrais â'r
mesurau caethion, ond gadael i'r rhai sydd yn fwy dysgedig a medrus
ganu arnynt'. Dengys ei gyflwyniad na chafodd 'y fraint o gael un
chwarter o ysgol ddyddiol erioed' gan ychwanegu nad 'o fyfyrgell y
cyfansoddwyd hyn o Ganiadau, ond yn amlaf yn nhywyllwch y nos,
wrth fyned neu ddyfod oddiwrth fy ngorchwylion, neu o ddanedd y

creigiau, ac o waelod y ddaear'. O ddarllen y datganiad hwn, ynghyd â'i gerdd 'Cân y Madyn', mae lle i gredu ei fod wedi gweithio cyfnod yng ngwaith manganîs Cwm Silyn. Mae hen ddywediad yn ein sicrhau na fu yr un drwg erioed na ddaeth rhyw ddaioni ohono, ac oni bai bod rhywun wedi lladrata clocsiau Robert Ellis ynghyd â thri tarpowlin o'r gwaith, ni fuasai'r gerdd hon wedi ei chyfansoddi. Mae'r bygwth dial a'r melltithio sydd yn hon yn rhagori ar yr un a gyfansoddodd i'r lleidr nionod:

> Cyd godwn yn sydyn breswylwyr bro Silin,
> I ymlid y Madyn sy'n mudo;
> A heliwn gan holi am drigfan y drewgi,
> I gael 'in ei bannu a'i bwynio . . .

Cawn wedyn fanylion o'r drosedd:

> A daeth i'r caban ar draws fy nghlocsan,
> Ac yn ei faich rhoes hono yn fuan; . . .
> A thri tàr powlin aeth y Madyn,
> Cofiwch sylwi o waith Cwmsilin,
> Y rhai'n oedd barod ar bob diwrnod,
> I'w codi yn gyfar rhag ofn cafod; . . .

Myn y clochydd godi mintai o *vigilantes* i hela'r troseddwr er bod y gosb a addewai i'r lleidr druan yn llawer llymach na'r un a weithredwyd yn y Gorllewin Gwyllt erioed:

> Rhaid i ni roi diwrnod i hela llwynogod,
> A chwilio am y llewod a'i llywydd;
> Ni chant hwy ddim trigo yn agos i'r Mango,
> Na heddwch i ymuno yn y mynydd;
> Os awn yn llu y cwmni cu,
> I dynu croen y Madyn cry',
> A'i roi o wedyn yn lle'r tàr powlin,
> Ar draws y pricia, i ochel drycin;
> Caf finnau ddarn o'i dalcen,
> I wneuthur cefn i'm clocsan;
> Bydd hyny'n burion bargen, i'r fulen am a fu,
> Ac ar ôl hyny, gwnawn ei 'spedu,
> Ar fin y graig ar ol ei grogi;
> A rhoddi rhai'n ei 'sgerbwd main,
> Hen fadyn brwnt yn fwyd i'r brain,
> A'r cigfrain fydd yn cogmarth
> A dweud yr olwg anferth
> Ysywaeth arno y sy'.

Dengys drwy gyfrwng ei gerddi gasineb anghymodol at y lladron a ymboenai'r fro gan addo curfa i'r sawl a ddwynodd ei raff rawn:

Ac wrth fyn'd heibio rhyw brydnhawn,
Fe ddarfu ddygyd y rhaff rawn;
Chwiw leidr cas, pe gwybod cawn,
A phasdwn gwnawn ei ffusdo;
Yr erthyl hwch am wneuthur hyn,
Hen geryn haeddai ei guro;
Nid ydyw dwyn fawr well myn dŷn,
'Marn Robin, nag yw robio.

Daw nodweddion cymeriad Robert Ellis i'r amlwg yn rhai o'i gerddi ac meddai wrth anfon at William Jones y gof o Ben-y-groes am efail a phrocer:

Nid oedd yn bod am gwrw a bîr,
A d'weyd y gwir mo'm garwach;
Llawer pen neu sofren Sais,
A foddais mewn cyfeddach;
Wrth fod mewn tafarn (eithaf teg),
A chodi i'm ceg fel Cigydd;
Os byddai'r aur, ond hawdd y troen',
Yn leision cyn y glasddydd;
Nid aeth y siot erioed yn sych,
Lle byddai gwlych y Clochydd.

Dylid egluro mai at y 'siot cynhebrwng' y cyfeirir yma a dyma, yn ôl Myrddin Fardd, oedd yr arferiad:

. . . arferiad y naill blwyfolion o groesawu plwyfolion o blwyfydd ereill, yn feibion ac yn ferched, ar ddydd cynhebrwng. Dyma'r dull y gwnaent hyny: Elai rhyw nifer bennodol o honynt yn gyfrifol am y treuliadau, a rhoddent orchymyn yn un o'r tafarndai yn y pentref am i nifer bennodol o gacenau gael eu paratoi erbyn dydd yr angladd; ac ar ol claddu, gwahoddid y dieithriaid oll i'r dafarn, a rhoddid cacen i bob un o'r merched, yr hyn a elwid 'Siot y Merched'; ac yna cyfranai y plwyfolion a fyddai yn bresennol chwecheiniog y llaw at gael diod i'r meibion, yr hyn a elwid drachefn yn 'Siot y Meibion'. Ar adegau elai yn ail ac yn drydydd siot; ond y cyntaf a ystyrid yn briodol 'Siot y Cynhebrwng'.

Mae'n lleisio ei feiau yn onest a chroyw yn nhafodiaith gwerin Arfon hanner cyntaf y bedwaredd ganrif ar bymtheg, a bardd y werin ydoedd, yn hytrach na bardd yr ysgolheigion. Trigai mewn oes a oedd ar drothwy cyfnod Piwritaniaeth gul a wnaeth lawer i fygu'r hen draddodiadau Cymreig, ac i ddyfynnu geiriau Gwallter Llyfni, ' . . . troes yr awdl yn bregeth, a'r bryddest yn draethawd, ac i'r beirdd ddechrau ymbalfalu ar destunau megis "Tu hwnt i'r llen" '.

Yn ei fywgraffiad byr o Robert Ellis, 'Llyfnwy' i ddefnyddio ei enw barddol, dywed Myrddin Fardd yn ei gyfrol *Enwogion Sir Gaernarfon* (1922) am y *Lloffion* fel a ganlyn:

> Brithwyd y gwaith â phethau cydweddol â natur ac ag arferion cymdeithas, fel nas gellir, rywfodd, o un tu, ei gollfarnu; ac nas gellir o'r tu arall, ei edmygu uwchlaw cyffredinedd. Nid oes ynddo ddim yn wrthwynebus, na dim ynddo yn ddeniadol. Rhywbeth tebyg i 'nid dydd ac nid nos' yw yr oll. Y mae cyfraniad y Carolau, y Cerddi, a'r Caniadau yn weddol ddidramgwydd, er y gallesid eu gwell.

Mae llawer o'r hyn a ddywed Myrddin Fardd yn wir, er nad yw unwaith wedi ceisio deall amcanion Robert Ellis, ac wrth bwyso a mesur cymeriad a chefndir Robert Ellis a'i osod yng nghyd-destun ei oes mae rhywun yn tueddu i feddwl bod crynodeb Gwallter Llyfni efallai yn fwy cymwys:

> Ni cheisiodd gyrraedd byd tu allan i'w blwyf ei hun. Canai i'w gydnabod mewn dull syml, dealladwy, a'i brif amcan oedd budd ei gyd-fforddolion, ac ni chafodd y degwm o'r clod a haeddodd am hynny, a cheid llawer iawn o bobl yn rhy 'neis' i ddarllen prydyddiaeth ac aroglau diod arni.

Er ei holl anfanteision llwyddodd Robert Ellis i ddysgu darllen ac ysgrifennu ac roedd wedi meistroli'r Saesneg yn ddigon da i gyfieithu un o gerddi'r bardd Cowper i'r Gymraeg, sef 'The Rose', a'i chyflwyno yn ei lyfr dan y teitl 'Y Rhosyn'. Hefyd, gwelir yn ei 'Alleiriad o Gan Sant Ambrose', sef y 'Te Deum', mai cyfieithiad o ddau bennill o'r fersiwn Saesneg ohoni a gyhoeddodd. Gwaith 'R.E.', sef Robert Ellis, yw'r pennill cyntaf ac 'M.R.', sef Morris Roberts (Eos Llyfnwy, 1797-1876), melinydd Llanllyfni ar y pryd, sydd piau'r ail.

Mae gweld enw Morris Roberts wrth yr ail bennill o'r gwaith hwn yn profi ei fod ef a'r hen glochydd nid yn unig yn gyfeillion ond eu bod hefyd yn trafod barddoniaeth gan eu bod o gyffelyb anian.

Saif y felin ar y gyffordd yng ngwaelod pentref Llanllyfni ac er na wyddys pa bryd y daeth Morris Roberts yno yn felinydd gwyddom i sicrwydd ei fod yno yn 1845. Roedd Morris Roberts yn fab i Robert Morus (Robin Ddu Eifionydd, 1767-1816) ac yn dad i Ellis Roberts (1827-95), sef Ellis Wyn o Wyrfai, a dderbyniodd garfan o'i addysg yn ysgol Eben Fardd yng Nghlynnog.

Ar noson yr 20fed o Chwefror, 1845 difrodwyd y felin gan dân ond llwyddodd Morris Roberts i godi digon o arian i'w hadnewyddu. Ceir ar gefn clawr memrwn ysgriflyfr Bangor 4187 lythyr yn cofnodi hanes y tân ac yn apelio am gymorth i ailgodi'r felin: 'Y mae ymron yn sicr mai Eben Fardd a ysgrifennodd yr hanes a'r apel am gymorth'. Cyfansoddodd Robert Ellis gerdd i ddathlu'r achlysur a dyma dri phennill ohoni:

*Y felin a'r eglwys, Llanllyfni (Llun drwy garedigrwydd Richard Harris Roberts)*

Wel dyma Felin wisgi,
Y'nghanol plwy Llanllyfni,
A ga'dd ei gweithio, gyda brys,
Gael Morus o'r mieri.

Gobeithio caiff lawenydd,
Wrth drin y Felin newydd,
Nes helia aur ac arian gôd,
Ac ennill clod y gwledydd.

A gwel'd y gogor gwiwlon,
Yn rhannu y blawd a'r rhynion,
A'r eisin heil a ddeil yn ddwys,
Trwy ryfedd bwys yr afon.

Cyn diweddu'r drafodaeth ar Robert Ellis fel bardd gwerin, dylid cyfeirio at sut y bu iddo ddysgu'r Saesneg, o ystyried y cyfieithiadau a nodwyd yn gynharach. Tybed ai tra oedd yn gweithio yng Nghaernarfon y daeth yn hyddysg ynddi, ynteu drwy ei gyfeillgarwch gyda Griffith Jones y bardd a'r ysgolfeistr o Lanllyfni dros yr hwn y cyfansoddodd 'Gerdd i ofyn Coes Bren gan Mr Roberts Coed Howel'. Rhaid cofio hefyd fod Robert Ellis ar delerau da gyda John Jones y Rheithor a oedd yn hynafiaethydd blaenllaw.

Os mai'r cyfnod a dreuliodd mewn cwmni cymysg o Gymry a Saeson yng Nghaernarfon sydd i gyfrif am ei ddwyieithrwydd, mae'n sicr na wnaeth 'dadwrdd y dref a'i thrigolion' ond cyfyngu ar ei awen, yn ôl a ganodd wrth ymadael â'r dref honno:

### Wrth ymadael o weithio o dref Caernarfon

Yn iach fyddo yn awr i Gaernarfon,
Rwy'n 'madael yn foddlon â hi,
Er nad oes fawr gaer sydd ragorach,
Mae llawer lle mwynach i mi;
Mae dadwrdd y dref a'i thrigolion
Bron drysu fy'm calon a'm co',
Ac yn y fath dwrf i'm syfrdannu,
Mae'r awen yn glynu dan glo.

Mae yma bob math o bleserau,
I'w gweled heb amheu bob awr,
Cyfeillion da mwynion dymunol,
Hyfrydol a gweddol eu gwawr;
Ond iddi, er maint ei gorwychder,
Rhof ffarwel heb brudd-der i'm bron,
Mae trigo ar oror Eryri,
Yn ardal Llanllyfni'n fwy llon.

Dywed yn ddigon gwylaidd yn ei ragymadrodd i'r *Lloffion* nad ymyrrodd â'r mesurau caeth, ond gadael i'r sawl oedd yn fwy dysgedig nag ef ganu arnynt. Eto ceir ei fod yn hynod o fedrus wrth drin ei odlau, ac yr oedd yn feistr ar yr odl gyrch. Gwelir hefyd lawer englyn o'i waith ar gerrig beddau'r plwyf a chyhoeddodd rai yn ei lyfr. Dyma un a luniodd ar gyfer carreg fedd yr 'Hen Ddoctor Mynydd' a gladdwyd gyda'i fab ym mynwent y Sandemaniaid yn Llanllyfni:

Er meddu ar y moddion – a wellâent
Eraill o glefydon;
Angau trwch i'r llwch-gell hon,
Yma ddyg y Meddygon.

Ond nid bardd yn unig oedd Robert Ellis; roedd hefyd yn gerddor a chan mai Eglwyswr ydoedd, y garol oedd prif nodwedd ei dalent a'r geni gwyrthiol oedd symbyliad ffrwyth ei gynhyrchion. Cyhoeddodd bedair carol ar bymtheg yn ei *Loffion* – un ar bymtheg o garolau plygain, un garol Nadolig a dwy garol Dydd Gŵyl y Pasg. Dyma bennill cyntaf un ohonynt a oedd i'w chanu ar yr alaw *'French March';* gwelir ynddi y pwyslais a roddai Robert Ellis ar y canu boreol:

Deffrown yn awr yn fawr a mân,
I seinio clod i'r Iesu glân,
A down ynghyd mewn hyfryd hwyl
Oll gyda'r wawr i gadw gŵyl;

Mawr sain gorfoledd sydd
Ar doriad gwawr y dydd,
Daeth, daeth anwyliaid nef
I foli ein Pen, trwy lawen lef.

Roedd carolau Robert Ellis, fel y gweddill o garolau'r cyfnod, yn
gynhyrchion maith a dylid cofio hefyd fod gan nifer o eglwysi eu
cerddorfeydd bychain eu hunain yn cynnwys utgyrn, tabyrddau,
pibellau a bas-feiol cyn dyfodiad yr organ, ac arweinydd yr offerynwyr
fyddai'r clochydd fel rheol. Drwy ddamwain fe dorrwyd bas-feiol eglwys
Llanllyfni un tro a'r digwyddiad anffodus hwn a ysgogodd Robert Ellis i
ysgrifennu cerdd ofyn i annog rhai o wŷr cefnog y cylch i gyfrannu at
brynu offeryn newydd. Cyfansoddwyd y gerdd i'w chanu ar y mesur
'Cadair Idris' neu 'Sweet Jenny Jones':

I Ofyn Bas-Feiol
Tros Gantorion Eglwys Llanllyfni
gan bedwar o wŷr Parchedig
Sef Mr J. Jones, Rector; Mr H. Jones, Siop;
Mr G. Bownes, Agent, Tal y sarn; R. Hughes, Arwydd Pen y carw.

Yna â ymlaen i egluro:

Dros Gantwrs Llanllyfni, sy ar ddwyfron yn ddifri,
Dwl adwyth dylodi, sy'n chwerwi ein chwaeth;
Ein Feiol fwyn wiwlon, sain dirion a dorodd,
Ow! drallod, a drylliodd, agorodd yn gas; . . .

Wedyn dyma ddechrau seboni, yn ddigon diniwed wrth gwrs:

Ac yr'rwan rwy'n chwilio a hwylio am rai haeledd,
Dymunol a mwynedd a gweddedd eu gwawr
Da ddynion diddanaf, yn hynod a henwaf,
A gwiwlon eu gwelaf, benodaf yn awr;
Sef Mr Jones wiwlon, y person ŵr pwysig,
Un addfwyn bonheddig, a diddig a doeth;
A Mr Jones eilfydd, sydd uchel fasnachydd,
I'w ddwylaw daw beunydd, er cynnydd aur coeth;
Ac eilwaith o galon y gwelaf un gwiwlon,
Wrth droi fy ngolygon yn union i'r Nant,
Sior Bownes arbenig, un didwyll nodedig,
Pwy dybiaf yn debyg, i'w gynyg o gant.

Wrth gym'ryd fy nghamra' i droi yn ôl adra'
Af at y gŵr rhydda, parota bob pryd;
Sef, Mr Hughes hoyw, dan arwydd y Carw,
Anwylaf mewn elw, rwy'n bwrw, yn y byd;
A dyma'r rhai mwynion, wŷr haelion a heliais,
Meib Ifor a gefais, a nodais yn wir;

Ac yna daw nodyn o anobaith mewn dwy linell:

> Os na chai fy ngwrando, nis gwn pa le i gwyno,
> Na phwy wneiff fy helpio sy'n tario yn y tir;

Cyn rhoi addewidion o fawrhydedd a gwerthfawrogiad y plwyfolion i'r noddwyr:

> Pan roddant yn rhwyddion, wŷr mwynion dymunol,
> Eu clod fydd feunyddiol ryfeddol o fawr; . . .
> . . . A chwitha', heb wahaniaeth, gewch ran o'r gerddoriaeth
> Os dewch i'r gwasanaeth yn lanwaith heb lid . . .

Gwelir wrth dynnu at derfyn y gerdd fod ymgais Robert Ellis i godi arian at brynu bas-feiol newydd wedi bod yn llwyddiannus gan ei fod wedi ychwanegu'r cwpled canlynol i ddilyn yr 'Amen' ar ddiwedd y gerdd:

> Mae'n haeddu in' dalu ein dyled
> O fawl y gwŷr, y Feiol gaed.

Roedd rhai o garolau Robert Ellis yn parhau ar gof ambell un o drigolion Llanllyfni hyd at o leiaf bedwardegau'r ugeinfed ganrif. Canodd John Owen y Fort (hen dafarn sydd heddiw'n dŷ annedd) ddwy o'r carolau hyn yn ddigyfeiliant yn eglwys y plwyf yn ystod Nadolig 1945.

Roedd y corau aelwyd hefyd yn rhan o draddodiad a oedd mewn bri yn yr ardal hon yn ystod y blynyddoedd a fu. Cyfeiriwyd eisoes at yr arferiad oedd gan gantorion yr eglwysi plwyf i ymweld â phlwyfi cyfagos i ymuno yn y gwasanaeth plygain ac ymddengys bod hyn yn arferiad hefyd gan y corau aelwyd. Roedd maint y teuluoedd yn yr hen amser ar gyfartaledd yn fwy nag ydynt heddiw ac felly roedd yn haws ffurfio partïon o'r fath. Mae'r diweddar Barchedig David Griffith a oedd yn enedigol o'r Bontnewydd ger Caernarfon yn cofnodi yn ei ddyddiadur ymweliad gan barti o Lanllyfni a ganodd yn eglwys Llanwnda ar Ragfyr y 30ain, 1860. Mae hyn yn brawf ei bod yn hen arferiad gan gantorion Llanllyfni deithio i blwyfi eraill ar y nos Sul ar ôl y Nadolig i ail-ganu carolau'r plygain a dywedir y llogid coets ambell waith i'w cludo. Diau bod yr hen glochydd cerddgar yn flaenllaw iawn yn y gweithgareddau hyn.

Ond er ei holl ymroddiad fel cerddor ni chyfansoddodd yr un o'r alawon a ddewisodd ar gyfer ei gerddi a'i garolau. Mesurau wedi eu benthyca ydynt bob un ond rhaid cofio mai dilyn y ffasiwn ydoedd yn hyn o beth a dilyn hefyd y traddodiad a fabwysiadwyd gan faledwyr y ganrif flaenorol; arferiad sy'n parhau i fod yn dderbyniol heddiw.

Wedi gwasanaethu ei blwyf am ddeugain a thair o flynyddoedd fel clochydd ac aelod blaenllaw o'i gymuned, bu Robert Ellis farw ar Ebrill y 14eg, 1872 a thystia'r ysgrif sydd ar ei garreg fedd ym mynwent eglwys Llanllyfni iddo wasanaethu mewn 2,556 o angladdau.

Yn ôl y Parchedig W.R. Ambrose yn ei draethawd ar *Nant Nantlle* (1872) 'Byddai yn anhawdd treulio prydnawngwaith difyrrach nag ym mynwent St Rhedyw, yng nghwmni y dyddan Robert Ellis'. Teyrnged eithaf haeddiannol i'r 'Hen Glochydd' gan yr hanesydd lleol.

# Yr Hen Batriarch
## Owain Gwyrfai (Owen Williams, 1790-1874)

Mae'n debyg mai Owain Gwyrfai oedd y cymeriad hynotaf a'r mwyaf gwreiddiol o 'gywion' Dafydd Ddu. Roedd yn fardd gwlad, hynafiaethydd ac yn arweinydd eisteddfodau poblogaidd ac fel y dywedodd un awdur: 'Buasai Eisteddfod heb yr "hen Waunfawr" yn beth mor chwithig ag Eisteddfod heb Gadair'.

Ganed ef mewn tyddyn o'r enw Bryn Beddau a saif rhwng Rhostryfan a'r Bontnewydd, nid nepell o'r Erw, cartref Richard Jones. Priododd gyda Margaret Lloyd, merch fferm Pen y Bryn, Llanwnda gan ymgartrefu yn Nhŷ Ucha'r Ffordd, Waunfawr, a chawsant wyth o feibion a dwy ferch. Symudodd y teulu i fyw am ysbaid i'r Felinheli cyn dod i Gaernarfon lle buont yn preswylio yn Nhan y bont, Queen Bach, a Stryd Uxbridge.

Cowper ydoedd wrth ei alwedigaeth a chwblhaodd nifer fawr o archebion am ferfâu ar gyfer chwarel Dinorwig. Nid oedd yn orhoff o fyw yn nhre Caernarfon a dyheai am gael dychwelyd i'r wlad er mwyn:

> Cael llonydd mewn cell unig, yn fy nydd,
>     Yw fy nef arbennig;
> Byw yn dda, heb neb yn ddig,
> Na noddi dim aniddig.

Yr oedd wedi syrffedu gymaint ar Gaernarfon unwaith nes iddo ddweud na fuasai wahaniaeth ganddo os elai'r dref ar dân ac iddo yntau gael mynd i Waunfawr yng ngolau'r goelcerth. Ac yn ôl i'r Waun yr aeth gan drigo yn y Fronheulog (hen dŷ ei athro, Dafydd Ddu) am oddeutu ugain mlynedd. Yno y gweithiai ac ysgrifennai, sef ei hoff bleser, ond dychwelai i Gaernarfon at ei deulu i fwrw'r Sul bron yn gyson. Byddai golau yn ffenestr y Fronheulog hyd oriau mân y bore a'r hen batriarch yn diwyd ymdrin â'i lyfrau a'i lawysgrifau.

Yn *Y Geninen* (1889) ceir disgrifiad da o Owain Gwyrfai gan y 'Llyfrbryf', sef Isaac Foulkes:

> Hen Gymro bychan, penwyn, taclus, glanwedd, yn troedio yn ysgafn, sionc a hoyw . . . Ei lygaid bychain, dyfnion, deall-lawn, yn tremio tua'r llawr . . . am na buasai modd iddo yn hwylus weled dim i fyny heb dorri dau dwll yng nghantal ei het . . . am fod syllu tua'r ddaear yn fwy cydnaws â'i natur fyfyrgar.

Cariai ffon yn wastad ond byddai hon o amgylch ei war yn amlach na pheidio a chadwai sgwrs ddifyr ag ef ei hun wrth gerdded. Pan oedd tua phedair ar ddeg oed bu'n ddisgybl i Dafydd Ddu tra oedd hwnnw'n cadw ysgol Madam Bevan yn Waunfawr a Betws Garmon, a bu'n olynydd iddo am ysbaid yn ysgolion Llanrug a Betws Garmon. Cyhoeddodd nifer o lyfrau gan deithio'r deheudir i'w gwerthu yn ystod

*Owain Gwyrfai (Llun:* Cymru, *Hydref 1908)*

cyfnod Helyntion Beca. Wedi 1830 aeth ati i gyfansoddi *Y Geirlyfr Cymreig* a gyhoeddwyd mewn 45 rhifyn am swllt yr un. Chwilotodd lawer i hynafiaeth ei wlad ond yr oedd dan anfantais yn hyn o beth oherwydd roedd yn rhaid iddo ddibynnu ar ffynonellau Cymreig yn unig. Yr oedd yn dra hygoelus hefyd a choeliai unrhyw beth ysgrifenedig gan ddweud os y credai gelwydd nad arno ef yr oedd y bai ond ar y sawl a'i hysgrifennodd.

Pan fyddai mewn ymgom, 'ti' oedd pawb arall iddo ac 'y ni' amdano ef ei hun. O dybio bod rhywun yn dweud celwydd wrtho unwaith dywedodd: 'Aros di was, rwyt ti'n dweud peth ofnadwy o gelwydd am ddim, faint ddywedi di, dwad am chweugain?'

Nid oedd yr hen batriarch yn orhoff o yfed te, a'i hoff ddywediad pan gâi de gwan gan ei wraig oedd: 'Pegi, mae'r te 'ma yn gefnder i ddŵr y

Gwyndyd'. Yn stryd Twll yn y Wal, Caernarfon yr oedd dŵr y Gwyndyd ac yno y câi'r trigolion lleol eu dŵr. Ychwanegai mai 'yn siop Mr Bryan mae'r chwarel de orau yng Nghaernarfon'. Gwnaeth sylwadau dirmygus iawn am de yn Waunfawr un tro. Roedd Alafon yn ymgeisydd am y weinidogaeth ac wedi dod yno i bregethu a chyn y gwasanaeth eisteddai gyda'r teulu yn y tŷ capel. Yn sydyn agorwyd y drws yn ddiseremoni a chamodd Owain Gwyrfai i mewn i'r ystafell gan ei gyflwyno ei hun. 'Ŵr ifanc,' meddai, 'dydech chi ddim yn ein hadnabod ni mae'n debyg?' (Sylwer fod gweinidogion yr eglwys yn cael eu galw'n 'chi' ganddo!) 'Nac ydw, mae'n ddrwg gen i,' atebodd Alafon. 'Wel, ni ydi Owen Williams, bardd, llenor a hynafiaethydd, mwy adnabyddus fel Owain Gwyrfai. Ryden ni wedi dŵad i roi clust o ymwrandawiad i chi.' 'O, diolch yn fawr i chwi,' atebodd Alafon. 'Fyddwn ni ddim yn mynd i wrando pawb, ond deallwn eich bod chi yn fardd-bregethwr. Ond atolwg! Beth yw hyn yr ydych yn ei yfed cyn esgyn i bulpud? Oes dim cywilydd arnoch chi? Bobol annwyl! Dim ond paned o de! Te'n wir! Cyn mynd i bulpud . . . CWRW! Dyna be fyddai'r hen bregethwyr yn ei yfed. Dynion braf, talgry, cyhyrog, a bloedd fel taran i gyhoeddi'r Efengyl. Cesyg gorau'r sir yn sigo wrth eu cario i'w cyhoeddiadau. Ia! Ond amdanoch chi, bregethwyr yr oes hon, sy'n rhyfygu gwenwyno'ch cyfansoddiad â thrwyth yr Ind cyn mynd i bulpud – rhyw liprinod main, eiddil, gwelw, a gwich yn lle bloedd – petai roi hanner dwsin ohonoch ar gefn bwch gafr, siga fo ddim tanoch chi.'

Bu yntau mewn pulpud fwy nag unwaith. Bu'n aelod gyda'r Wesleaid yng Nghaernarfon am rai blynyddoedd a bu'n pregethu iddynt, ond gan nad oedd achos gan y corff hwn yn Waunfawr daeth yn aelod gyda'r Annibynwyr a llanwodd amryw gyhoeddiadau iddynt hwythau hefyd. Yr oedd ei bregethau, yn ôl y rhai a fu'n eu gwrando, yn 'wreiddiol ac yn ddiddorol ac ambell waith yn dda ac yn fuddiol' er mai'r farn gyffredinol oedd eu bod yn llawn o dueddiadau a syniadau Eglwysig ac o'r herwydd dichon mai fel Eglwyswr y dylid ei gyfrif. Fel pregethwr yr oedd yn hollol fel ef ei hun, ac yn hollol annhebyg i bawb arall.

Tra oedd yn byw yn y Fronheulog cerddai'n ddyddiol i'r Cyrnant Lodge gerllaw i nôl ei lefrith, ond cael ei lefrith am ddim y byddai'r hen fachgen bob tro, a'r un fyddai ei stori bob tro hefyd. 'Dyma ni wedi dŵad eto heddiw, ar ôl sbario un pryd o fwyd yn y gwely, i chwilio am werth dimai o lefrith. Ond does gynnon ni'r un ddimai i dalu amdano 'chwaith; rhaid inni roi'r badell ar y tân eto i dreio gwneud tipyn ohonynt.'

Ond nid llefrith yn unig a yfai'r hen frawd. Cerddai adref o Gaernarfon un tro yn ddigon sigledig wedi treulio noson ddifyr yng nghwmni ei gyfeillion gan fwmian, 'I'r Waunfawr o arwain fi'. Wrth gerdded ar hyd llwybr coediog trawodd ei ysgwydd dde yn erbyn coeden ac wrth geisio cadw i'r llwybr trawodd ei ysgwydd chwith yn erbyn coeden arall, yna dywedodd: 'Arhoswn. Ymbwyllwn! Ac eisteddwn ar y boncyff yma onid elo'r orymdaith hon heibio'.

Dywedodd un tro ei fod wedi cario Twm o'r Nant ar ei gefn yr holl ffordd o'r deheudir a'i roi i Mr Williams, gwesty'r *Castle* Caernarfon ond at ddarlun o Twm o'r Nant y cyfeiriai! Roedd Owain Gwyrfai yn gyfaill mawr i 'Williams y *Castle*' ac un diwrnod cerddai'r ddau ar draws y Maes fraich ym mraich. Dechreuodd rhywun dynnu coes gan ddweud bod y ddau wedi meddwi. Atebodd Owen Williams: 'Gallaf eich sicrhau chwi syr, nad yn ein bol ni yr oedd y cwrw, ond ym mol Mr Williams, ac felly yr oeddem ni megys bâd wrth ochr y llong, yn cael fy nhaflu gan y gwyntoedd a'r tonnau'.

Roedd pob stori a ddywedai 'cyn wired â bod ysbryd Syr John Wyn yn trwblo yn Rhaiadr y Wenol' neu rhyw ddywediad cyffelyb, a gofynnwyd iddo un tro a oedd yn coelio mewn ysbrydion. Atebodd: 'Ni a welsom ugeiniau ohonynt ers talwm, ond fel y mae'r byd yn mynd yn waeth, y mae hwythau'n mynd yn brinnach'. Arferai adrodd un hanesyn am botsiar o Waunfawr a anfonwyd i Van Diemen's Land am ugain mlynedd am saethu cipar. Mab i Sion y Clocsiwr oedd y llanc dan sylw, o'r un enw â'i dad, ac roedd y stori yn ôl Owen Williams 'cyn wired â'r Pader'. Dyma'r hanes yng ngeiriau'r hen gowper:

I'r Van Diemen's Land y bydda nhw yn transportio bryd hynny a phan roedd yn cael ei gludo yn y llong gyda haid o rapsgaliwns eraill dyma hi yn storm enbyd arnynt wrth rowndio Penrhyn y Gobaith Da, a drylliwyd y llong yn grybibion ar y creigiau. Wel i chi, yr un diwrnod ag y collwyd y llong, yr oedd yr hen ŵr Sion y Clocsiwr yn gweithio yn ei groglofft yn y Waun acw, gan feddwl llawer am Sionyn ei fab, pan glywodd yn y man sŵn traed yn dod i fyny y 'step-ladder'. Trodd yn sydyn a phwy a safai yno ond ei fab Sionyn. Gwaeddodd yn ei ddychryn: 'Yn enw fy Nuw, Sion, o ble daethost ti?', a diflannodd y ddrychiolaeth fel diffod cannwyll pan glywodd enwi y Goruchaf, a dyna pryd y deallodd yr hen ŵr mai ysbryd ei fab a welodd. Pe buasai'r hen ŵr dipyn mwy gochelgar, beth wyddem ni na buasai'r ysbryd wedi dweud ychydig o'i helynt wrth ei dad, a phe buasem ninnau (canys dywedodd yr hen ddyn yr holl hanes wrthom ni y noswaith honno) wedi dodi i lawr yr amser y gwelodd Sion y Clocsiwr y ddrychiolaeth, a chydmaru hynny â'r amser y collwyd y llong, mi allasem ddweud i'r awr a'r funud pa faint o amser a gymer i ysbryd drafeilio o'r 'Cape of Good Hope', yn Affrica, i'r Waunfawr yn Arfon.

Roedd yn hoff o bysgota er bod ei resymau am wneud hynny yn hollol wahanol i rai pawb arall. 'Nid eisiau dal y pysgod sydd arnaf,' meddai un tro, 'ond eisiau pysgota.' 'Ddaliasoch chi lawer o bysgod heddiw, Owen Williams?' gofynnodd rhywun wrth iddo ddychwelyd adref ar ôl bod yn pysgota un tro. 'Wel, aros di was, mi ddaliais ychydig ar un, ac fe aeth hwnnw yn rhydd,' oedd ei ateb.

Bu Tomos y gath yn gwmni ac yn gysur iddo yn y Fronheulog a

gofynnwyd iddo un tro tra oedd mewn cwmni diddan o lenorion a beirdd yn y dref, sut oedd Tomos y gath. Yn ateb cafwyd y llith canlynol:

Rhoswch chi, p'run gath oedd honno tybed? Mi fu gynon ni lawer byd o gathod erioed. Gellir rhannu cathod i ddau rywogaeth, a galw un yn Domos Onest, a'r llall yn Dwm Leidar. Mae y rhywogaeth gyntaf yn greaduriaid bodlon, rhadlon braf, a ddygan nhw ddim byd ond cig. Welais i'r fath beth er ym hoed – does dim dofi cath byth rhag dwyn cig. Pe b'ai hi wedi bwyta llond 'i chrombil o fara llefrith . . . ac iddi hi gael cig o hyd cyrraedd, mi ysglyfaetha arno fo tai hi'n torri'i bol wrth wneud hynny. Ond ni ddyga Tomos Onest ddim ond cig. Am y brid arall . . . *Twm Leidar*, lladron diffaeth ydyn nhw bob *one* – mi ddygan fara a menyn, a llaeth, a phob peth y medran nhw gael gafael ynddo. Yr oedd gennym ni, ers talwm, gath o'r torllwyth lladronllyd yma, ac un min nos goleuasom gannwyll, gan ei dodi ar y bwrdd – cannwyll wêr oedd hi hefyd, ac heb ei goleuo o'r blaen. Yna aethom i'r buarth gerllaw, i siarad gyda'n cymydog o'r drws nesaf, a fuon ni ddim o'r tŷ fwy na munud fan bellaf, ond saffed â bod chi yn y fan yna, erbyn i ni fynd yn ôl, toedd dim hanes, na siw na miw o'r gannwyll yn unman. Synnwyd ni yn aruthrol, a braidd na feddyliem fod rhywbeth goruwchnaturiol wedi digwydd . . . Methem â dirnad pwy ysbryd drwg oedd wedi ei chipio hi mor swta. Chwilota hyd lawr, tan y byrddau, tan y dresar; ond ymhen hir a hwyr dyma ni yn dod o hyd i'r wig, a'r holl wêr wedi ei lyfu yn lân oddi arno.

Meiddiodd rhywun ofyn pa fodd y gallai'r gath ddiffodd y gannwyll a dyma'r ateb terfynol a gawsant:

Aros di was, nid ein gwaith ni ydyw esbonio dyrys-bynciau; rhaid i ni adael i'r doethion benderfynu sut y gall cath ddiffodd cannwyll.

Fel yr heneiddiai, blinid ef yn fynych gan grydcymalau, a chan na fu ganddo erioed fawr o ffydd mewn ffisigwriaeth, darllenodd waith rhyw athronydd Ffrengig a oedd yn awdurdod ar y cryd. Cyngor y gŵr hwnnw oedd i'r claf orwedd i gysgu gan osod y corff gyda'r pen i'r gogledd a'r traed tua'r de a sylweddolodd Owen Williams mai yn groes i hyn y gorweddai ef. Penderfynodd droi'r gwely yn ddiymdroi ond nid gorchwyl hawdd oedd hwnnw. Roedd yr ystafell yn fach ac yn llawn dodrefn. Bu wrthi'n ddygn drwy'r dydd nes bod y chwys yn diferyd am fod y gwely'n hen a'r goriad yn dynn a chafodd drafferthion enbyd gyda'r cortynau oedd yn ffurfio ei waelod. O'r diwedd gorffennodd y gwaith ond wedi dweud ei bader cyn noswylio sylweddolodd yn sydyn fod ei holl ymdrechion wedi bod yn gwbl ddianghenraid. Yr un siâp oedd y pren ar ben y gwely ac ar y traed a'r cyfan oedd angen iddo fod wedi ei wneud oedd newid y gobennydd o'r pen i'r traed!

Fodd bynnag, haerai fod ei grydcymalau'n well o'r herwydd a chymerai gysur o'r ffaith fod Isaac Newton un tro wedi gwneud twll ychwanegol yn y drws ar gyfer ei gath fach heb feddwl unwaith y buasai'r twll a oedd ynddo yn barod ar gyfer y gath fawr wedi gwneud y tro yn iawn.

Rhyw helynt cyffelyb a ddaeth i'w ran wrth iddo gwblhau archeb am gorddwr i William Griffith (Hu Gadarn), Tŷ Mawr, Clynnog un tro. Ar ôl gorffen y gwaith gwelwyd bod y corddwr yn rhy fawr i fynd allan drwy'r drws. Wedi cryn bendroni doedd dim amdani ond tynnu'r drws a'r fram o'u lle, ac felly y cafwyd y corddwr ar ei ffordd i dŷ ei berchennog.

Cyn ei farwolaeth yn bedair a phedwar ugain mlwydd oed yn 1874 roedd wedi golygu – ar wahân i'w *Eirlyfr Cymraeg* – *Hanes Bywyd Peter Williams yr Esboniwr* a hefyd bedair rhan o'r *Drysorfa Hynafiaethol* a *Hanes y deg erledigaeth o dan Rufain Babaidd.*

Mae nifer o'i lawysgrifau ar gadw yng nghasgliad Cwrtmawr yn y Llyfrgell Genedlaethol. Gwaith beirdd fel Cadwaladr Cesail a Morys Dwyfach yw'r rhan fwyaf o'r cerddi ac mae yno hefyd restr o achau teuluoedd wedi eu casglu ganddo ef ac Eben Fardd. Yn Aberystwyth hefyd gwelais restr o'r gweithiau barddol a gopïwyd ganddo o un o Lawysgrifau Bodaden y bûm yn eu crybwyll yn gynharach.

Parhaodd yr atgofion amdano fel eisteddfodwr brwd a ffyddlon ar gof ei gyfoeswyr am flynyddoedd yn dilyn ei farwolaeth, a'r digwyddiad mwyaf nodedig oedd ei ymweliad ag Eisteddfod Madog yn 1872, yntau erbyn hyn yn dair a phedwar ugain mlwydd oed.

Trefnodd carfan o'i gyd-eisteddfodwyr i logi cerbyd i'w gludo i Dremadog yn hytrach na mynd yn y trên a chychwynnwyd ar y daith am chwech o'r gloch y bore. Er bod Owen Williams ychydig yn hwyr yn cyrraedd a heb gael cyfle i gael brecwast, cychwynnodd y cerbyd agored i fyny Dyffryn Gwyrfai drwy Rhyd-ddu ac i Feddgelert lle'r arhoswyd er mwyn i'r teithwyr a'r ceffylau gael seibiant. Ceisiwyd annog Owen Williams i ddod i lawr o'r cerbyd i gael pryd o fwyd ond gwrthododd yn bendant gan gymaint oedd ei awydd i gyrraedd yr eisteddfod. 'O bobol annwyl,' meddai, 'na ddown ni, yr ydan ni yn syffisiant, thanciw . . . beth pe bai'r cerbyd yn cychwyn hebddon ni?' Wedi cyrraedd pen y daith croesawyd Owain Gwyrfai gan Alltud Eifion (Robert Isaac Jones, 1815-1905) a'i hebrwng yn syth i'r man lle cynhaliwyd yr Orsedd ar ben Ynys Fadog, gan ddweud, 'Dowch Owen Williams mae'r dyrfa fawr yn disgwyl amdanoch chi at waith yr Orsedd'. 'O bobl annwyl, down yn enw'r tad,' meddai Owen Williams gan gychwyn ym mraich ei gyfaill gyda gwên ar ei wyneb. Roedd yn ei elfen y diwrnod hwnnw ac ni chroesodd ei feddwl unwaith nad oedd wedi cael na bwyd na diod ers y diwrnod cynt. Dywedir bod cadair wedi ei naddu yn y graig ar ei gyfer fel arweinydd yr Orsedd ond tasg anodd fuasai dod o hyd iddi bellach yng nghanol yr holl goed sydd wedi tyfu ar y bryncyn erbyn hyn. Wedi'r seremoni ffurfiwyd yr orymdaith i fynd tua'r pafiliwn, ac felly y bu hyd nes y daeth yr eisteddfod i ben tua phedwar o'r gloch y prynhawn, a'r adeg honno, ac nid yr un funud ynghynt, y penderfynodd yr hen batriarch y gallai sbario ychydig amser i ymofyn lluniaeth.

Claddwyd Owain Gwyrfai ym Metws Garmon a chasglodd Ioan Arfon (John Owen Griffith, 1828-81) ac eraill o'i gyfeillion hanner can punt i gael colofn uwch ei fedd.

*Gwallter Llyfni yn ŵr ifanc (Llun drwy garedigrwydd Morrisa P. Jones)*

# Yr Hen Gantor
## Gwallter Llyfni (Walter S. Jones, 1883-1932)

Anfarwolwyd Gwallter Llyfni, sef Walter Sylvanus Jones (1883-1932) gan R. Williams Parry yn ei gerdd i'r 'Hen Gantor' a gyhoeddwyd yn y gyfrol *Cerddi'r Gaeaf*. Brodor o Dal-y-sarn, Dyffryn Nantlle oedd Williams Parry ac roedd ef a Gwallter yn gyfeillion agos.

Tasg ddigon anodd fuasai i un o'm cenhedlaeth i gael gwybodaeth am gymeriad gŵr a oedd yn byw ym mlynyddoedd olaf y bedwaredd ganrif ar bymtheg hyd at dridegau cynnar yr ugeinfed ganrif. Rhaid felly ymhél â'r llyfrgelloedd, hen bapurau newydd, cylchgronau a llythyrau'r cyfnod ond yn bwysicach fyth, ceisio canfod a chyfweld pobl a oedd yn cofio'r gŵr o gyfnod eu hieuenctid. Bûm yn ffodus yn hyn o beth gan fod nithoedd Gwallter yn byw ym Mhen-y-groes ar y pryd a hefyd cefais, drwy ohebiaeth bersonol, lawer o ffeithiau a fu'n gymorth i glirio niwl y gorffennol gan Mathonwy Hughes a'r diweddar Gwilym R. Jones. Cof plentyn oedd gan y diweddar Hywel D. Roberts ohono gan ei gofio yn yr eisteddfodau lleol fel 'gŵr digon mawreddog, het fawr fel artist, wyneb tenau dyn gwael'.

Ganed Gwallter Llyfni ym Mhant-glas yn 1883 ond treuliodd y rhan fwyaf o'i oes yn Llanllyfni cyn symud i fyw i Ben-y-groes yn 1930, ddwy flynedd cyn ei farw. Derbyniodd ei addysg sylfaenol yn ysgol Ynys yr Arch rhwng Pant-glas a Chlynnog Fawr, ac wedyn yn ysgol Nebo, gan adael er mwyn gwasanaethu gartref, *'home service'* yn ôl y llyfr cofnodion, ond gwnaeth ei brentisiaeth gydag un o seiri coed Bryncir yn fuan wedyn. Ychydig o wybodaeth sydd ar gael am ei gyfnod yn gweithio fel saer ond dywedir ei fod, ymysg mân bethau eraill, wedi bod yn helpu gyda'r gwaith o adeiladu neuadd bentref Llanllyfni. Eithr analluogwyd ef rhag dilyn ei grefft i ennill bywoliaeth oherwydd cyflwr bregus ei iechyd. Fodd bynnag, gwyddys iddo wneud caban o goed iddo'i hun, sef ei 'Nyth' chwedl yntau, ar lan y môr ger Tŷ Coch, Clynnog, a hefyd 'dŷ bach' yng nghartref ei gyfaill Carneddog yn Nantmor. Nid 'tŷ bach' fodd bynnag a eilw Carneddog y cyfleuster hwn yn ei lythyr: 'Brysia yma eto i wneud Tŷ Cachu i ni, saer coed'.

Daeth i'r amlwg yn gyntaf fel canwr. Gyda'i frawd Dafydd byddai'n cystadlu mewn eisteddfodau ar ganu deuawd; baritôn oedd Gwallter a Dafydd yn denor. Dechreuodd y dirywiad yn ei iechyd yn ystod blynyddoedd y Rhyfel Mawr ac er na ddeuais ar draws unrhyw gyfeiriad gan Gwallter ei hun, nac ychwaith gan yr un o aelodau'r teulu y bûm yn eu holi ynglŷn â'i gyfnod yn y fyddin, mae'n edrych yn fwy na thebyg mai effaith y rhyfel oedd i gyfrif am y darfodedigaeth y bu'n dioddef ohono weddill ei oes. Roedd nithoedd Gwallter yn cofio iddo dreulio cyfnod yng ngwersyll y fyddin yng Nghinmel ger Abergele ac mae Carneddog yn dweud iddo gael ei 'alw i fyny', ond nid oes sôn yn un o'r hanner cant a mwy o lythyrau a fu rhyngddynt fod Gwallter wedi bod yn gwasanaethu fel milwr yn Ffrainc nac unman arall. Yr unig dystiolaeth bendant sy'n taflu rhywfaint o oleuni ar y mater yw ysgrif fer gan y diweddar David Thomas a ymddangosodd yn y cylchgrawn *Lleufer* yn 1960. Ynddo mae'r awdur yn dweud bod Gwallter wedi cael ei nwyo yn ddrwg yn y Rhyfel Mawr ac i'r nwy fwyta i'w ysgyfaint ac o ganlyniad bu iddo gael ei ddiswyddo o'r fyddin am resymau meddygol ar bensiwn llawn. Ychwanegai at ei bensiwn drwy ysgrifennu i'r papurau Cymraeg a'u cynrychioli yn yr Eisteddfod Genedlaethol a chynulliadau eraill. Roedd David Thomas yn adnabod Gwallter ac roedd ganddo barch mawr tuag ato gan ddatgan ei fod yn gymeriad hoffus, nodedig o gymdeithasgar a glân ei fuchedd.

Treuliodd gyfnod yn ne Cymru a bu'n gweithio yn y pyllau glo gan letya gyda'i gyfnither yn Abertridwr. Digwyddai fod yn Senghennydd adeg y danchwa fawr yn 1913. Fel cerddor yr oedd fwyaf adnabyddus yno hefyd; enillodd amryw o gystadlaethau a bu'n cyflawni swydd blaenor y gân yng Nghapel Beulah (B), Abertridwr. Sefydlodd Gymdeithas Cymry Cymreig yng Nghwm yr Aber gyda Dewi Aur, a bu'r gymdeithas honno'n flodeuog am flynyddoedd wedi i Gwallter symud yn ôl i fyw i'r gogledd.

Symudodd y teulu i fyw i Goed Cae Newydd gerllaw Llanllyfni cyn cartrefu yn y Felin, o 1922 hyd at 1930 pryd y penderfynwyd mudo i Cemlyn, rhif 25 Stryd y Capel, Pen-y-groes. Dyma'r hen felin a fu unwaith mewn bri mawr ac yn gartref i enwogion fel y delynores Mary Jones a'r bardd Morris Roberts. Saif ar gyffordd yng ngwaelod pentref Llanllyfni a fu'n fan cyfarfod i drigolion y plwyf mewn oes a fu. Mae'n amlwg, yn ôl yr hyn a ddywed Gwallter, ei fod yn lle digon prysur yn ystod dauddegau'r ugeinfed ganrif hefyd. Cwynai wrth Carneddog am y mynych aflonyddu arno tra oedd yn ceisio crynhoi ei waith. 'Pe bawn yn byw mewn unigedd buasai gennyf siawns, ond mewn lle fel hwn, er bod yr olwyn wedi peidio â throi, daw mil a mwy yma i falu. Welsoch chwi erioed y fath le ac sydd yn y Felin weithiau.' Roedd yn llythyrwr campus; anfonodd dros hanner cant at ei gyfaill Carneddog ac maent yn ddiddorol a doniol. Cyfarchai ef yn aml fel 'Annwyl Gyfaill a Chyd Sant', ac wrth dynnu at y terfyn dywedai, 'Rhof fy nghân yn fy nghwd am rŵan'. Mae mwyafrif llethol ei lythyrau wedi eu teipio ganddo a cheisiodd argyhoeddi Carneddog unwaith i fuddsoddi mewn peiriant cyffelyb: 'Gan fod dy law yn crynu wrth 'sgrifennu, awgrymaf i ti brynu Teipar, a thi a elli 'sgrifennu â bawd dy droed hefo hwnnw'.

Byddent yn trafod gweithiau llên, llyfrau newydd ac eisteddfodau yn y llythyrau hyn, hefyd hynt a helynt eu bywyd bob dydd:

Cefais gopi o 'Caniadau'r Allt', diddorol iawn; nid cystal â 'Maes a Môr'. I mi yr oedd Eifion Wyn yn well yn y caeth, buan y delo rheini allan. Rwyf wrthi'n darllen llythyrau'r Morusiaid (J.H. Davies). Tri o rai smale, yn pesychu, rhegi a melltithio pob dyn byw, a 'rhen 'Ronwy yn gythral meddw ac yn cnoi baco fel injan, a dwy ffos felen o bobtu ei geg, golwg pur ddifrifol ar offeiriad os mynnai yr hen Shankland mai dweud celwydd yr oeddynt.

Gwelais ei gasgliad o weithiau Shakespeare ac mae'n sôn am ei ymweliad â chartref y bardd yn Stratford upon Avon yn un o'i lythyrau at Carneddog:

Cyrhaeddais adref neithiwr, wedi taith fythgofiadwy, trwy rannau prydferthaf Lloegr, a chael eistedd enyd yng nghadair Shakespeare, ac wedi hynny fwyta pryd da o fwyd mewn gwesty lle bu yntau'i hun yn llenwi'i gylla. Ni phoenaf di a hanes fy nheithiau yn ystod yr haf 'ma. Gwell eu hadrodd fin nos wrth dan coed ar aelwyd y Carneddi.

Nid oedd y ddau gyfaill yn cytuno ar bopeth a bu anghydfod rhyngddynt un tro ynglŷn ag Eifion Wyn. 'Rwyn mynd i'r Port 'fory,' meddai Carneddog wrtho, 'ynglŷn â chofgolofn Eifion Wyn. Cym di ofal na wnei di ddim row! Gwn dy fod yn ddiawledig yn erbyn Eifion, y cena i ti.' Ond amddiffynnodd Gwallter ei hun gan ateb:

Cofia di rŵan, cam â mi yw dweud fy mod yn erbyn Eifion, ond y mae gennyf berffaith hawl i ddweud mai hen ddiawl blin, oriog a chas oedd o wrth bawb na chytunant â'i syniadau ef. Nid oes gennyf wrthwynebiad i'w gyfeillion a'i edmygwyr godi cofadail iddo y byddai ei ben yn twtsiad godrau'r blaned Fawrth, ac ni byddaf innau yn llaw geuad chwaith.

Dadleuai fod Tryfanwy, y bardd dall a aned yn Rhostryfan ond a dreuliodd y rhan fwyaf o'i oes ym Mhorthmadog, cystal bardd bob mymryn ag Eifion Wyn:

Gwn cystal ag undyn na bydd hanes yr ugeinfed ganrif yn gyfa oni chynwys hanes y telynegwr melys o'r Port, ond nid teg ag eraill o feirdd y ganrif ydyw gosod Eifion ar rhyw bedistal uwchlaw pob un ar gyfrif iddo ganu ychydig o delynegion gorau'r iaith . . . Pam gofadail i Dryfanwy hefyd, oedd lawn cymaint o athrylith ag Eifion? Cyfranwn innau'n hael i honno.

Eithriad oedd mynd i eisteddfod yn y cyfnod hwn heb gwrdd â Gwallter, a dilynai'r brifwyl yn gyson. Yma yr arferai gyfarfod â'r llu ffrindiau oedd ganddo a mawr oedd ei feddwl o'r cwmni cyfyngedig hwn, fel y dywed R. Williams Parry yn ei gerdd:

'Mi gefais innau f'oriau gwyn,
Welsoch chi fi un tro
Ym mraich Syr Richard Terry'n dynn?'
Do, ni a'th welsom, do.
'Glywsochi wedyn 'funawd bâs
Fel taran drwy'r hotel?'
Clywsom, a rhyfeddasom, was,
A synnu a wnaeth Brazell.

Bu'n feirniad cerdd mewn llawer eisteddfod yn y pentrefi bychain. Mewn ateb i lythyr gan Carneddog ar Ionawr y 18fed, 1929 mae'n cadarnhau ei gyhoeddiad i feirniadu yn Eisteddfod y Cymrodyr a gynhelid ym Meddgelert ac yn diolch am y gwahoddiad i ddod i'r Carneddi i fwrw'r Sul; ymweliadau a ddaeth i fod yn rhan o batrwm ei fywyd:

Cefais restr o'r testunau gan y Scwl 'na, ac yn wir y mae yn rhestr dda iawn ond ei bod braidd yn hir. Bydd yno waith mawr, ac anodd fydd gorffen a chyrraedd y Carneddi cyn i'r ceiliog ganu, ond cei di weld y bydd fy meirniadaethau i fel cathod Isle of Man.

*Eisteddfod Genedlaethol Treorci, 1928.*
*Chwith i'r dde: R.R. Williams, Cyfarwyddwr Addysg y Rhondda; Gwynfor,*
*Caernarfon; Gwallter Llyfni; Dulyn, Llangefni; Glanogwen, Caerdydd.*
*(Llun drwy garedigrwydd Mair Parry, Llanllyfni)*

Byddai'n llym iawn ei feirniadaeth o feirniaid eraill weithiau:

> Bûm yn Eisteddfod Nebo lle roedd rhyw Mr Phillips fu tua'r Bedd 'na rhyw dro yn beirniadu adrodd &c., Oh bobol annwyl. Lle mae o wedi bod dwad? Corff y farwolaeth. Y beirniad mwyaf trychinebus a glywais yn fy oes. Ŵyr o beth ydi englyn?'

Er ei feirniadu hallt, roedd hefyd yn llawn syniadau newydd ar sut i wella safonau yr eisteddfodau bychain. Awgrymai y dylid cael cystadlaethau mewn darllen cerddoriaeth yn ddifyfyr, cyfansoddi traethawd neu ysgrif ar unrhyw fardd, llenor neu gerddor Cymreig a chyfansoddi alaw ar gyfer pennill arbennig. Credai fod hyrwyddo a diwyllio plant ar gyfer eisteddfodau bychain yn hanfodol bwysig i sicrhau dyfodol a diwylliant yr iaith Gymraeg. Meddai wrth Carneddog:

> Colled anadferadwy i ddiwylliant Cymru fyddai colli y cyfarfodydd hyn . . . yr wyf yn barod i gynorthwyo mewn rhyw fodd y pwyllgorau hynny sydd a'u hamcan i ddiwyllio yn hytrach na gwneud arian.

Bu'n brwydro'n hir â'i afiechyd a derbyniodd driniaeth feddygol yn Sanatoriwm Talgarth am gyfnod. Teimlai'n gryf ar brydiau ond dilynid hyn gan gyfnodau o atglafychu; er hyn, eithriad fyddai ei weld yn ddigalon. Yn wir, roedd yn gymeriad gwreiddiol, doniol a ffraeth iawn yn ôl pob sôn a llwyddai i godi calon amryw a oedd yn llawer cryfach eu hiechyd. Byddai Carneddog yn ei wahodd i ymweld â'r Carneddi yn aml yn ei lythyrau gan ddweud, 'brysia draw, byddi'n codi fy nghalon'.

Un tro roedd Gwallter yn helpu gyda'r cynhaeaf gwair yn y Carneddi a Bob Owen Croesor gyda hwynt. Meddai Carneddog ar ddiwedd y dydd, 'Diolch i Dduw, dyna'r cynhaeaf i mewn'. Atebodd Gwallter, 'I be ddiawl wyt ti'n diolch i hwnnw a minnau wedi gweithio mor galed i ti?' Peth hawdd yw dychmygu sut y bu hi y diwrnod hwnnw. Roedd Carneddog a Bob Owen o'r un natur – yn fyrbwyll. Roedd Gwallter ar y llaw arall yn bwyllog, yn fwy o 'hen wag' ac afraid dweud iddo yn sicr eu trin a gyrru cwch i'r dŵr sawl tro.

Dyma fel mae'n gwahaniaethu rhwng colofnau Bob Owen yn y *Genedl* a Charneddog yn yr *Herald Cymraeg*:

> Gwyddost am y gwahaniaeth sydd rhwng 'Torth Frith' a 'Phwdin Dolig', gneir y ddau o'r un defnyddiadau, ond pobi'r un a berwir y llall, ac yn rhyfedd iawn ceir gwahaniaeth. Rhyw wahaniaeth felly sydd rhwng dy 'Fanion' di a 'Lloffion' Bob Owen.

Hawdd deall o ddarllen llythyrau Gwallter sut yr oeddynt yn codi calon Carneddog a oedd, wrth natur, yn gymeriad a gwynai o ryw anhwylder byth a beunydd. Mewn llythyr arall ceir bod Gwallter wedi mynd i edrych am rai o'i deulu un tro ac wedi cael siwrnai chwithig:

> . . . hwnnw wedi mynd i hel i din ar ôl rhyw ferlod mynydd tua Llithfaen, a goriad ei weithdy yn ei boced, 'sgidia Dafydd a'r Person 'ma yn rhy fychan, fel nad oedd dim i'w wneud ond aros yn y tŷ a chanu rhyw bwt wrth fy hunan.

> Diolch iti Arglwydd Ion,
> Am y moron,
> Moron gorau Niwbwrch, Môn,
> Ddaeth i'n goror,[sic]
> Cawsom hefyd datws da,
> Diolch iti,
> Cabaits hefyd, pys a ffa,
> Rhag caledi.

Dro arall roedd Carneddog yn cwyno ei fod wedi cael dos o annwyd:

> Blin gennyf ddeall dy fod dan annwyd. Fy nghyngor i ti er i wella yw, gwerth 12/6 o wisgi mewn chwart o gwrw poeth, a hanner pwys o fenyn a dwy lwyaid o driog. Dwy botel dŵr poeth yn dy wely a saith planced o wlân cartref arno, ac iach fyddi.

Ymhen peth amser wedi hyn cafodd Carneddog ddos arall o annwyd a cherydd arall gan Gwallter:

> Ia, Ia, mynd i'r capel a chael annwyd. I beth yr wyt yn mynd i leoedd

felly? Gwyddost bellach mai gwastraff ar amser yw hynny. Cei fwy o gwmni dy Dad Nefol o lawer yn Nheml Anian. Yr wyt ti'n cael byw yn yr unigeddau, allan o ddwndwr pentrefwyr pant yr afon, lle mae pob blodyn, deilen a deryn yn mynegi ei ras. Pam y rhaid i ti ymlafnio i lawr i Nantmor i chwilio am Dduw, ag yntau yn curo wrth dy ddrws bob bore? Wyt ti'n meddwl mai rhyw 'Jac yn y Bocs' ydyw Duw, a gedwir mewn lle clud ym Mheniel, a'i dynnu allan ar fore Sul fel rhyw degan?

Yna mae'n troi i drafod Eisteddfod y Cymrodyr a gynhelid ym Meddgelert, gan ffieiddio bod y pwyllgor yn disgwyl iddo fynd yno unwaith yn rhagor i feirniadu'n ddi-dâl:

Diolch yn fawr drosof i bwyllgor Eisteddfod y Cymrodyr. Deuais yno ddwy flynedd yn ôl am ddim, a bu i tithau yn ôl dy garedigrwydd fy nghlwydo a'm bwydo yn rhad iddynt. Ymddengys mai rhyw gynllwyn fel yna sydd ganddynt i gael rhai am ddim bob tro. Damia nhw. Pe bawn wedi gofyn am dâl, efallai y buasent yn gwerthfawrogi mwy arnaf. Yr wyf wedi penderfynu nad af i unman eto am ddim. Caiff pwy a fynno feirniadu a chanu i'r diawliaid aniolchgar.

Ar adegau hoffai Gwallter gael heddwch ar ei ben ei hun i fyfyrio. Soniais eisoes am ei gaban coed, sef ei 'Nyth' ger y môr yng Nghlynnog. Estynnodd wahoddiad i Garneddog ymweld ag ef: 'Cyn y Sul byddaf gerllaw Clochdy Beuno yn clwydo wrth fy hunan. Caf yno hamdden a thawelwch i 'sgrifennu wrth fy mhwys. Bydd yn werth i ti gymryd taith hyd yng Nghlynnog i ti gael gweld gŵr bonheddig ar ei holidays'. Does dim sôn i Garneddog dderbyn y gwahoddiad ond fe fu Gwynfor, sef Thomas Owen Jones, llyfrgellydd sir cyntaf Caernarfon, a chyfaill agos i Gwallter, yn ymweld â'r 'Nyth', gan ddatgan ei brofiad ar ffurf englyn:

Mewn Nyth y bûm i neithiwr – wrth y môr,
    Mae'n werth mynd o'r dwndwr;
Gwas tawel yw'r gwestywr,
    Yn byw ar de a berw dŵr.

Ond nid ar de yn unig yr oedd Gwallter yn byw a byddai llawer o brofocio rhyngddo ef a Charneddog, a oedd yn ddirwestwr mawr. Dyfynnodd Gwallter o englyn enwog Eben Fardd wrth awgrymu y buasai'r ddau yn cael mynd am dro i Dy'n Llan, Llandwrog, os galwai Carneddog i'w weld yn y 'Nyth':

Gwesty teg mewn gwastad dir, – a mwyngan
    O'r mangoed a glywir . . .

Gwrthododd Carneddog yn bendant gan ddweud:

Twt, twt, mae Carn yn T.T.

Wrth ateb, broliodd Gwallter Eben Fardd gan ddweud:

Hen foi iawn oedd Eben yntê, yn rhoi rhywbeth amgenach na glasdwr i ddyn. Doedd *Ovaltine* ddim yn y ffasiwn yn ei oes o, a chrwt ambell dro oedd y tebot. Dyna i ti bobl iach, rymus oedd yn byw yr adeg honno. Nid rhyw sibols fel sydd heddiw, a phob clefyd tan haul yn cael lle i lechu yn y eu perfeddi.

Ni ellir dweud bod Gwallter yn gapelwr selog 'chwaith ac roedd yn dipyn o rebel wrth natur, ond ffieiddiai ragrith a gorfoleddai yn y gwirionedd noeth. Casâi sych-dduwioldeb ond ymhyfrydai yng ngwirioneddau'r Efengyl ac yng nghoethder ymadroddion ysgrythurol. Gwerthfawrogai bregeth pe bai'r pregethwr wrth ei fodd a Chynan yn ddiau oedd ei ffefryn. Dywed fel hyn amdano wedi iddo ei glywed yn pregethu un tro yng Nghapel Bethel, Pen-y-groes: 'Un o ragorion y ddaear yw Cynan. Cristion yn ystyr lawnaf y gair, heb rhyw hen lol ddiawl o'i gwmpas'. Bu unwaith, tra oedd yn aros yn Lerpwl, yn gwrando ar bregeth gan y Canon Raven yn yr eglwys gadeiriol a chafodd ei blesio'n fawr: 'Pe cymerai pregethwyr Cymru ddolen o lyfr y gŵr hwn, nid hanner gwag fyddai addoldai y wlad. Mae oes yr hwyl wedi mynd a rhaid bellach siarad sens o bwlpud fel o bobman'.

Yn ôl R. Williams Parry, nodweddion amlycaf Gwallter oedd ei ffyddlondeb i'w gyfeillion a'i hunan-dyb diniwed ac fe ategir hyn gan y sawl a oedd yn ei gofio. Gwisgai i gydymffurfio â delwedd y critig cerdd y ceisiai ei efelychu; yr het fawr a'r fantell, a dyna adawodd yr argraff 'fawreddog' ohono ar gof to ifanc y dydd. Cofiai Mathonwy Hughes am Gwallter fel un o'r cymeriadau gwreiddiol hynny nad oedd modd dyfod oddi wrthynt ac a oedd yn athrylith ar lawer i gyfrif. Roedd ganddo ei chwaeth a'i farn ei hun am bethau a byddai'n dangos cryn graffter llenyddol yn aml. Ni fyddai byth yn arbed datgan ei farn; nid oedd hynny'n plesio pawb wrth gwrs a daw ei ffraethineb i'r amlwg mewn sgwrs gyda W.J. Davies y dramodydd a fyddai'n ysgrifennu nofelau i'r *Herald Cymraeg* fesul pennod. Rhoddodd Gwallter ei farn yn bendant ar y gwaith ac meddai W.J.: 'Mi wranda' i arnat ti'n beirniadu pan fyddi di Walter wedi gallu ysgrifennu un nofel'. Atebodd Gwallter yn syth: 'Yli di Wil, tasat ti'n rhoi dau ŵy o 'mlaen i, un yn ŵy da a'r llall yn ŵy drwg mi faswn i'n ffeindio'n fuan iawn p'run fasa p'run, ond cythral o job fasa i mi ddodwy ŵy!'

Roedd yn gerddor, bardd a hanesydd lleol brwdfrydig ac ymddangosodd llawer o'i ysgrifau yn *Y Dinesydd*, *Yr Haul*, *Y Llan*, *Y Brython*, *Y Genedl* a'r *Cerddor Newydd*. Bu colofnau cerddorol ganddo yn yr *Herald* a'r *Dinesydd* wedi eu hysgrifennu dan y ffugenwau 'Figaro' a 'Largo'.

Tra oedd yn chwilota i hanes Dyffryn Nantlle daeth ar draws llyfr Robert Ellis y Clochydd, sef *Lloffion Awen Llyfnwy*, ac aeth ati i astudio ei gynhyrchion ac i ymchwilio i hanes ei fywyd. Buan iawn y daeth

Gwallter yn arbenigwr ar Robert Ellis. Câi aml wahoddiad i draddodi darlith arno gan wahanol gymdeithasau ac ymddangosodd erthygl o'i eiddo arno yn *Y Llenor* yn 1930. Cyffelybai Gwallter ei hun i raddau helaeth i Robert Ellis; llwyddodd i ddarganfod llawer o'r hen alawon a ddefnyddid gan yr hen glochydd i ddatgan ei garolau a chanai ambell un ohonynt yn ystod ei ddarlithoedd gan ychwanegu at flas y testun. Gresynai ei fod wedi cael ei eni yn rhy ddiweddar i gael y fraint o wrando ar Robert Ellis a'i feibion yn morio canu yn Eglwys y Llan i gyfeiliant y bas-feiol.

Yr oedd, fel Robert Ellis, yn hoff o'i beint, ond fel y tystia David Thomas, 'Ni chlywais erioed sôn amdano'n feddw, ond gallaf ddychmygu ei weld yn un o dafarnau Pen-y-groes ar nos Sadwrn, yn mwynhau'r gwmnïaeth rownd y bwrdd gyda rhai o'i gyfeillion'.

Mae'n wir na bûm ddirwestwr glew,

medd cerdd R. Williams Parry amdano a Gwallter ei hun fuasai'r cyntaf i gyfaddef hyn. Meddai un tro mewn llythyr at Carneddog:

Wyddost ti beth, pan fydd fy iechyd i'n weddol, byddaf yn mwynhau fy hun wrth danllwyth o dân yn fy mharlwr drwy'r dydd yn trio 'sgwennu, ac yna wedi blino felly, mynd am beint a sgwrs ym mharlwr y Victoria, fel dim un gŵr bonheddig, ac yr wyf cyn hapused â'r gog ym Mai.

Cofiwn gyfaddefiad Robert Ellis yn un o'i gerddi:

Nid oedd yn bod am gwrw a bîr,
A d'weyd y gwir mo'm garwach;
Llawer pen neu sofren Sais,
A foddais mewn cyfeddach.

Dywed y diweddar Gwilym R. Jones un stori ddoniol yn ei lyfr *Rhodd Enbyd* am R. Williams Parry a Gwallter yn teithio'n y car i ddosbarth nos ym Mhorthmadog un tro. Ni fyddai 'Bardd yr haf' yn hoff o deithio yn y nos ar ei ben ei hun ac felly byddai'n mynd â'i hen ffrind gydag o yn gwmpeini. Wrth agosáu at y *Brynkir Arms* meddai Gwallter, 'Mae 'ngheg i cyn syched â nyth cath, Bob'. 'Wel rhed i nôl un ynta,' meddai Williams Parry gan ychwanegu, 'ond dim ond un glasiad, cofia. Mae 'na lawer o flaenoriaid parchus yn y dosbarth yn y Port, dirwestwyr selog, ac mae'r *inspector* i fod i ddŵad atom ni heno cofia.' Ond wrth i Williams Parry aros yn y car yr oedd hi'n mynd yn fwyfwy amlwg nad oedd syched Gwallter am gael ei ddiwallu gydag un peint yn unig ac ymhen hir a hwyr dychwelodd i'r car gan sychu'r ewyn oddi ar ei fwstásh. Dywedodd Williams Parry wrtho'n bendant na châi ddod i'r dosbarth y noson honno ac iddo aros amdano yn nhafarn yr *Union* yn Nhremadog.

Wrth i'r dosbarth nos gyrraedd hanner amser, pwy a gerddodd i mewn yn dalog ond Gwallter, yn wên o glust i glust a'r ewyn yn sgleinio ar ei fwstásh. Ond cyn iddo gyrraedd sedd i gael eistedd i lawr dyna lywydd y dosbarth yn codi ar ei draed ac yn croesawu'r *inspector* i'r cyfarfod. Derbyniodd Gwallter y croeso'n gwrtais iawn gan gydnabod geiriau'r llywydd ac felly y buasai pethau wedi bod oni bai i'r athro ymyrryd i egluro nad yr *inspector* oedd yr ymwelydd. Dywedir mai dyna'r tro olaf i Williams Parry ofyn i Gwallter fynd gydag ef i ddosbarth nos.

Daeth Gwallter yn berchennog moto-beic pan brynodd y *Sun* enwog oddi ar ei gyfaill, oherwydd doedd gan 'Fardd yr haf' y syniad lleiaf am beirianwaith peth o'r fath; llond gwlad o drwbwl oedd yr hen feic iddo! Roedd gwybodaeth Gwallter am feiciau modur dipyn rhagorach, ond ymhen rhyw wythnos wedyn pan gyfarfu'r ddau roedd yn amlwg bod y peth wedi bod yn poeni'r cydwybodol Williams Parry a gofynnodd, 'Sut mae'r hen *Sun* 'na'n bihafio gin ti?' Atebodd Gwallter yn ddidaro, 'Che's i ddim trafferth o gwbl efo fo'. Synnodd Williams Parry o glywed hyn ac meddai, 'Wel Haul anghyfiawnder fuo'r diawl i mi beth bynnag'.

Ystyriai Gwallter mai R. Williams Parry oedd bardd mwyaf Ewrop a hoffai'r bardd gwmnïaeth Gwallter yntau'n fawr. Roedd y bardd wedi galw heibio i'r Felin, cartref Gwallter, un tro ac aeth y ddau am dro dros Bonc Cae'r Engan rhwng Llanllyfni a Thal-y-sarn. Roedd yn brynhawn braf o haf a Gwallter newydd lunio cân ac am i Williams Parry ei chlywed. Adroddai Gwallter y gân yn ei ffordd ddihafal ei hun tra gorweddai ei gyfaill ar ei fol â'i sodlau'n sgleinio yn yr haul. Wrth sylwi fod y bardd mor dawel edrychodd Gwallter drwy gil ei lygaid arno a gwelodd fod Williams Parry yn chwerthin nes bod dagrau'n llifo i lawr ei ruddiau. 'Chwerthin wyt ti gythral?' gofynnodd Gwallter. 'Na', daeth yr ateb, 'paid â meddwl 'mod i'n chwerthin am dy gân di; chwerthin am dy ben di yn ei darllen ydwyf.'

Roedd clywed Gwallter yn adrodd chwedlau a hanesion neu'n dynwared hen gymeriadau yn wledd ddiangof i'r sawl a'i clywai. Meddai ar ei gof lu o straeon ac arferion gwlad. Soniai am hen brydydd o'r enw Guto'r Fasged Wen a fyddai'n pedlera o dŷ i dŷ yn Eifionydd yn y cyfnod pan fyddai ei fam yn eneth fach. Un tro aeth yn ymryson rhyngddo a Myrddin Fardd a'r hen Guto a orfu. Yr oedd wedi dysgu'r cynganeddion a byddai o bryd i'w gilydd yn ennill mewn cyfarfodydd llenyddol a chafodd lawer cardod am ganu i weision ffermydd y fro ond yn anffodus, does dim o'i gynhyrchion wedi goroesi. Pan oedd Myrddin Fardd yn brentis gof gyda thaid Gwallter (sef William Jones, Dinas Eifion, Rhoslan) roedd yn canlyn merch fferm Beudy'r Lôn ac wedi bod yn tynnu coes Guto gan ddweud na allai sillafu'n gywir. Lluniodd Guto rigwm i'w ddychanu:

Mae Myrddin yn fy meio,
Fy mod yn ffaelu spelio,
Er saled wyf am hynny,
Mi speliaf Lôn a Beudy.

Yn ôl Gwallter, byddai Guto ynghyd ag eraill o glerwyr y cyfnod yn galw'n gyson yn efail ei daid a chan fod ganddo yntau'r ddawn o dynnu pobl i siarad ceid llawer orig ddifyr yno. Yn ôl Carneddog, priodolwyd rhai o'r 'pilliau cartre' i Guto'r Fasged Wen.

Tystiai Gwallter hefyd fod gan ei fam lu o atgofion am yr hen amser a byddai'n adrodd yr hanesion hyn i'r plant fin nos wrth y tân. Roedd tad Gwallter, sef Dafydd Jones Pant-glas, hefyd yn gymeriad diddan a direidus, ei ddawn i adrodd hanesion am hen gymeriadau yn rhyfeddol a'i atgofion yn ddihysbydd. Does ryfedd felly, o gofio cefndir o'r fath, fod Gwallter wedi etifeddu'r ddawn o adrodd chwedlau a dynwared hen gymeriadau.

Apeliai hen gerddi Cymreig Robert Ellis at Gwallter yn fawr ac ymfalchïai yn y ffaith fod cyfrol o waith y clochydd ar gadw rhwng cloriau, ond gresynai fod cymaint o enghreifftiau o'r hen gerddi traddodiadol Cymreig wedi mynd ar ddifancoll:

Mae amryw gasgliadau o hen gerddi ar gael, ond tuedd y casgliadau hyn ydyw bod yn rhy dduwiol, ac ni roddant i ni arweddau eraill sydd yn nodweddu ein Cenedl. Y mae hiwmor iach yng nghaneuon y Cymro. Nid oedd y beirdd a'u canent yn Gymreigwyr o'r goreu, ac nid oedd yr hen ganwyr wedi cael disgyblaeth leisiol ychwaith, a thipyn yn aflafar fyddai nadau llawer ohonynt ar ben heol mewn ffair, ond tae waeth am hynny prynai gweision a morwynion y wlad hwy a difyrant eu gilydd a hwy fin nos yn y llofft stabal. Cadwyd llawer hanes yn fyw trwy gyfrwng cerdd, a daeth miloedd o'n hen alawon yn ôl wedi bod ar eu spri yn nhafarnau ein gwlad am flynyddoedd, wedi i Gryffudd Jones Llanddowror droi'r delyn o'r seiat . . . ac os cawsent eu hesgymuno tros dro y maent bellach yn cael eu cadw a'u hanwesu ar bob aelwyd trwy'r wlad. Buasai mwy ohonynt wedi mynd ar goll oni bai am hwyl y gyfeddach, a gwerinwyr y wlad.

Dymuniad mawr ei fywyd oedd cael cyhoeddi llyfr ond ni wireddwyd hyn oherwydd costau uchel cyhoeddi a chyflwr bregus ei iechyd. Mae'n amlwg o ddarllen rhai o'i lythyrau nad peth hawdd oedd i ŵr cyffredin gyhoeddi llyfr yn y cyfnod rhwng y rhyfeloedd. Meddai wrth Carneddog:

Cyrhaeddais adref neithiwr wedi bod yn Lerpwl ers dydd Gwener yn ceisio gan Huw Evans a'i feibion, Swyddfa'r Brython, gyhoeddi fy nghyfres o delynegion, ac yn wir os cefaist ti drafferth gyda *Cerddi Eryri*, wele finnau yn cael profi'r un peth. Damia y 'bloody lot'. Ni chyhoeddaf ddim byth bythoedd ar ffurf llyfr . . .

Cyhoeddi'r gyfrol *Cerddi Eryri* drwy hel tanysgrifwyr a wnaeth Carneddog wedi ennill y wobr gyntaf am gasgliad o hen faledi a cherddi unrhyw ardal yng Nghymru yn Eisteddfod Genedlaethol Pwllheli, 1925. Dywedodd y beirniad J.H. Davies, 'fod y gwaith a wnaed yn teilyngu gwobr llawer mwy na'r un a gynhygid gan y Pwyllgor'. Ychydig a ŵyr mai Gwallter a roddodd y wobr honno. Apeliodd ar i'r Pwyllgor Llên ychwanegu ati, ond ni wnaed. Melltithiodd Gwallter hwynt mewn llythyr at Carneddog:

Damia y bobl hyn, y mae fy amynedd i wedi pallu'n llwyr wrth weld dynion cymharol dlawd yn gwasanaethu eu gwlad a cheisio gwella a diddori a diwyllio y genedl a rhyw swbachiaid diawl yn clafoirio hyd lwyfannau.

Ar nodyn mwy hwyliog mae Gwallter yn dychmygu ei hun yn gweld Carneddog yn tramwyo'r wlad i hel enwau ar gyfer ei lyfr, wedi iddo dderbyn llythyr gan Carneddog yn cwyno am y drafferth a gawsai un noson aeafol ym mis Ionawr yng ngolau lantern: 'Trwy Lanfrothen ddydd Sadwrn fel y Bardd Crwst yn union yn hel enwau'. Meddai Gwallter yn ei atebiad:

Efallai na ddyliwn chwerthin wrth feddwl fy mod yn gweld llarp o ddyn hirgoes yn llamu ar draws y rhosydd a mawnogydd Llanfrothen a golwg arno fel un newydd ddianc o wylltedd Affrica, a chwys mis Ionawr ar ei dalcen . . .

> Y dydd yn fyr a'r nos yn hir,
> A'r gwynt yn oer o'r Gogledd dir,
> Heb loer na sêr ar glawr y ne,
> A'i fwth ymhell mewn diffaith le.

Pe buasai ganddo becyn ar ei war, a ffastwn lecsiwn yn ei law, a barf hirlaes yn cael ei dorri gan y gwynt, ei gob yn garpiog a blaen ei drwyn yn las, a gwallt hir claerwyn, yna byddai y darlun yn berffaith. Duw a helpo hen lenor yntê, tybed a fydd gwaith fel a wnewch yn cael ei fendithio weithiau? Maddau i mi am chwerthin tipyn bach wrth synio amdanat yn gorfod cael lantar i groesi'r rhosydd, a miloedd o dylwyth teg Eryri yn dawnsio yn dy lewych a phob tocyn brwyn yn troi yn ddrychiolaeth. Bobol annwyl.

Roedd dau lyfr barddoniaeth gan Gwallter yn barod i'r wasg, sef *Cerddi'r Dyffryn* a *Blodau'r Grug*. Casgliad o gywyddau, englynion, rhigymau a cherddi gan amryw feirdd yw'r cyntaf a chyfrol o'i farddoniaeth ei hun yw'r llall. Mewn rhagymadrodd campus i'r cyntaf dywed:

Cesglais y rhain oll oddi ar lafar, papur, a charreg. Aml un o'r hen bapurau wedi melynu gan henaint, a llawer carreg wedi mwsogi, neu'r ddrycin wedi curo ar ei hwyneb. Anodd iawn yw dod o hyd i awduron y rhan fwyaf ohonynt ac ni ellir chwaith ddweud gyda sicrwydd eu bod oll yn gynhyrchion prydyddion o Lanllyfni. Ni chefais yr un ohonynt o'r tu allan i gylch y plwyf heblaw y rhai a gefais gan Bob Owen a Richard Jones.

Cynnwys y deipysgrif waith barddol Hywel Eryri, Robert Ellis, Eben Fardd a'i gyfaill John Evan Thomas. Roedd John Evan Thomas o Ben-y-groes yn athro ysgol a llenor a bu'n dysgu ym Mhen-y-groes ac yn ddiweddarach yn brifathro ym Mhenmachno. Enillodd ar chwe thelyneg yn Eisteddfod Genedlaethol Caernarfon 1921 ac fe ysgrifennai i'r *Cymru*, *Y Deyrnas* a'r *Dinesydd Cymreig*. Arferai Gwallter fynd â'i gynhyrchion llenyddol iddo gael eu darllen gyda'i 'lygaid barcutaidd' cyn eu cyflwyno i'r wasg. Yr oedd hefyd yn ymddiddori mewn gwleidyddiaeth ac yn un o sylfaenwyr Cyngor Llafur Gogledd Cymru yn ystod y Rhyfel Mawr; diau i Gwallter ei gael yn 'enaid hoff cytûn' o safbwynt gwleidyddol yn ogystal â llenyddol.

Daeth diddordebau gwleidyddol Gwallter i'r amlwg pan gyfarfu amryw o Gymry ifanc yng Ngwesty'r Frenhines, Caernarfon, i sefydlu Mudiad Ymreolwyr Cymru, sef mam y Blaid Genedlaethol. Penodwyd Gwallter yn gadeirydd ond erbyn etholiad cyffredinol 1929 parhâi'n Sosialydd rhonc ac â'i o gwmpas y gwahanol drefi a phentrefi i siarad yn gyhoeddus a chanfasio dros y Blaid Lafur. Meddai mewn llythyr at Garneddog, 'Rwyf innau fel ci ffair, Politics i frecwast, Politics i ginio, brechdan driog i de a Pholitics i swper, a chyn bo hir byddaf yn mynd yn Political Sandwich'. Wedi buddugoliaeth Llafur meddai:

Yr wyf yn llawenhau ddarfod i Lafur gael y llaw uchaf ar ddiawliaid yr oes, a gobeithiaf y bydd iddynt roddi gwell trefn ar y byd cyn bo hir. Tila iawn oedd plaid Lloyd George eto er cymaint o flodau addewidion a ddanghosodd i'r etholwyr, a daw yr hen air yn wir, 'nid ag us y delir hen adar'. Gresyn i Valentine ddod allan y tro yma. Nid yw'r wlad eto wedi ei haeddfedu i'w genadwri, ond yn bendifaddau y hi fydd plaid y dyfodol.

Proffwydoliaeth eithaf cywir ac erbyn 1930 cawn fod Gwallter wedi cefnu ar y Blaid Lafur ac wedi gwneud cais drwy lythyr at Saunders Lewis am swydd trefnydd y Blaid Genedlaethol. Welais i ddim gohebiaeth bellach ar y mater ond dyma enghraifft ddiddorol o ŵr o dueddiadau cwbl sosialaidd a gymerodd ran flaenllaw yng nghychwyniad Plaid Cymru.

Roedd yn fawr ei sêl dros hyrwyddo ymwybyddiaeth o'r gorffennol yn ei fro ac ar nos Lun, Mehefin y 23ain, 1930 cynhaliwyd cyfarfod cyhoeddus yn Llofft yr Hall, Sgwâr y Farchnad, Pen-y-groes i drafod y bwriad o sefydlu Cymdeithas Hanes Dyffryn Nantlle. Gwallter oedd un o brif sylfaenwyr y Gymdeithas Hanes ac er na fu'n gweithredu fel swyddog, parhaodd yn gefnogol iddi am weddill ei oes. Gresyn na chafodd fyw i fwynhau dim ond dwy flynedd o'r sefydliad y gwnaeth gymaint i'w hyrwyddo. Mae'n resyn hefyd i weithgareddau'r gymdeithas hon ddod i derfyn ar ddechrau'r Ail Ryfel Byd ac na fu iddi ailgychwyn wedyn. Sefydlwyd Cymdeithas Hanes bresennol Dyffryn Nantlle ar ddiwedd 1983 a chyflawnir ganddi lawer o amcanion y gymdeithas wreiddiol.

Anfonodd Gwallter rai caneuon at yr Athro John Lloyd Williams ac fe'u cyhoeddwyd yng nghylchgrawn Cymdeithas Alawon Gwerin Cymru wedi eu harwyddo 'Walter Sylvanus Jones', yn ôl ei arfer. Gyda llaw, mabwysiadodd ei enw canol pan ddechreuodd ymhél â llenydda er mwyn cyfleu rhyw elfen o hunaniaeth mae'n debyg.

Yn ôl Gwallter, un o ganeuon mwyaf poblogaidd Llanllyfni yn ystod hanner cyntaf y bedwaredd ganrif ar bymtheg oedd 'Yr Eneth Glaf' a deuais ar draws copi o'r geiriau wedi eu teipio ganddo ymysg ei bapurau ym Mangor. Roedd hwn yn ddarganfyddiad go bwysig oherwydd sylweddolais fod y penillion yn wahanol i'r fersiwn yr oeddwn yn gyfarwydd â hi. Yn y nodyn cefndirol i'r gân hon a gyhoeddwyd yn *Canu'r Cymry (1)* ceir bod John Roberts, Brynrhydyrarian ger Llansannan, yn cofio'r gân fel y'i cenid hi gan Roger Williams, tyddynnwr o'r un ardal, ac iddo yntau ei chanu i Ifan O. Williams (darlledwr poblogaidd a chasglwr hen faledi) a oedd bryd hynny yn weinidog yn Nantglyn, Dyffryn Clwyd. Mae tri phennill i'r fersiwn a gyhoeddwyd yn *Canu'r Cymry* gyda nodyn sy'n damcanu mai Ifan O. Williams a luniodd y trydydd pennill ac mae pennill arall sydd, efallai, yn tarddu o'r un ffynhonnell wedi ei ychwanegu yn y nodyn cefndirol. Penderfynais gael barn Meredydd Evans ar y mater a chytunodd â mi mai fersiwn Gwallter, yn ôl pob tebyg, oedd yr un gwreiddiol. Aeth Merêd ymlaen i egluro ei bod yn amlwg fod Gwallter wedi cofnodi'r geiriau hyn cyn i Ifan O. Williams fynd yn weinidog i Nantglyn a bod y pennill olaf o fersiwn Gwallter yn cloi'r gân yn ddigamsyniol, gyda'i dechreuad yn adleisio'r ddau bennill cyntaf a'i diwedd yn wrthgyferbyniol i weddill y gân. Wrth grynhoi dywed Merêd, 'yn sicr, mae fersiwn y Gwallter yn gyflawn'.

Mae'n eironig braidd fod pennill olaf y gân yma fel y'i ceir hi yng nghasgliad Gwallter yn adlewyrchu i raddau ei ddyddiau olaf gan iddo yntau farw ar ddechrau haf:

> Daeth yr haf a myrdd friallu,
> Daeth y gog i goed y ddol,
> Ond daeth angel gwyn i'w chyrchu
> Hi i wlad na ddaw yn ôl.
> Ofer fu yr holl wenieithio,
> A'r proffwydo drodd yn gau,
> Ar ei beddrod yn blodeuo
> Heddiw gwelir blodau Mai.

Yn y cywair lleddf y canodd yntau ei gân olaf hefyd. Brith gof sydd gan Mathonwy Hughes o'r diwrnod hwnnw ym mis Mehefin 1932 pan ymwelodd â Gwallter ar ei wely angau. Adroddodd Gwallter ei gerdd olaf, sef 'Fy Nymuniad', wrth ei gyfaill gan na allai ysgrifennu erbyn hyn ac fe'i hanfonwyd at Garneddog i'w chyhoeddi yn yr *Herald Cymraeg* ar y 25ain o Fehefin.

Daeth nifer o'i gyfeillion i'w angladd ym Mynwent yr Hendre,

Llanllyfni, ar y 27ain o Fehefin, 1932, ac yn eu plith roedd R. Williams Parry, Bob Owen Croesor, Carneddog, Gwynfor, G.W. Francis a Chynan. Cerfiwyd yr englyn hwn o waith ei hen gyfaill R. Williams Parry ar garreg ei fedd:

I'r Brifwyl gynt yr hwyliwn, – ei phabell
A'i phobl a garwn;
Di fiwsig wyf, di-fosiwn,
Gwae'r di-steddfod dywod hwn.

Mae'n debyg na fydd yng Nghymru eto neb yn union yr un fath â'r rhain. Cynnyrch eu hoes oeddynt a llenydda, cynadledda ac eisteddfota oedd eu prif ddiddordebau. Ni allwn ond dyfalu pa effaith a gaiff dylanwadau'r oes hon ar y celfyddydau a hyrwyddwyd mor effeithiol gan gewri'r oes a fu ac ni allwn ond dyfalu 'chwaith pa sylw crafog a wnâi Owain Gwyrfai neu Gwallter Llyfni a'u tebyg pe gwyddent sut y mae pethau yn Arfon erbyn hyn.

# Yr Hen Alawon

Er mai dod i Gymru drwy Loegr a wnaeth y mwyafrif o alawon poblogaidd y cyfnod dan sylw, peidied neb â meddwl mai alawon Seisnig oeddynt un ac oll. Mae'r hen alawon hyn yn rhan o etifeddiaeth llawer ehangach a'u tarddiad mewn gwledydd Ewropeaidd eraill fel yr Almaen, Ffrainc a'r Eidal, yn ogystal â Lloegr, yr Alban ac Iwerddon a rhaid cofio bod amryw ohonynt fel 'Trymder', 'Glan Medd'dod Mwyn' a 'Morfa Rhuddlan', i enwi ond ychydig, yn fesurau a gyfansoddwyd yng Nghymru. Cymysgedd o fabwysiad a benthyciad oeddynt ar wahân i'r rhai y gwyddom i sicrwydd iddynt fod yn gyfansoddiadau gan unigolion.

Dyma restr o rai o'r hen fesurau poblogaidd (fe grybwyllwyd rhai ohonynt yn y testun) a ddefnyddid gan faledwyr a beirdd ar gyfer eu cerddi a'u carolau.

Afiaeth Hiraethlym: Gweler *Alawon Fy Ngwlad* (Nicholas Bennett a D. Emlyn Evans) cyf.i, 1896, t.44. Gwelir yn ogystal alaw dan y teitl 'Ymdaith Hiraethlym' yn yr un casgliad, t.89.

Amorilis: '*Amaryllis*': alaw Seisnig a argraffwyd yn *The Dancing Master* yn 1665. Ni argraffwyd hon mewn unrhyw gasgliad Cymreig ond fe'i ceir mewn llawysgrif ar gadw ym Mhrifysgol Bangor (Bangor Ms 2294) o waith Morris Edwards, ffidler o Fôn, yn ystod y 1770au. Mae ei fersiwn ef o'r alaw bron iawn yr un fath â'r un a geir yn *The Dancing Master*. Mae fersiwn wahanol o'r un alaw yng nghasgliad llawysgrifau John Jenkins (Ifor Ceri), *Melus-Seiniau Cymru*, (N.L.W. Ms 1940) ii, ff.41.

Anodd Ymadael: Gweler hefyd '*Loath to Depart'*. Mae sawl alaw wahanol o dan yr enw hwn. Gweler *Musical and Poetical Relicks of the Welsh Bards*, Edward Jones, 1784, t.66.

Arglwyddes Trwy'r Coed: Gweler hefyd '*Thro' the Wood, Laddie*': *A Collection of Welsh, English & Scotch Airs*, John Parry, 1761; adnabyddir yr alaw hon hefyd fel: '*Through the Wood, Lady*'.

*Belleisle March*: Alaw Seisnig a gyfansoddwyd i ddathlu diwedd y Rhyfel Saith Mlynedd yn 1763. Mae nifer o fersiynau ar gael mewn llawysgrifau ond argraffwyd hi yn *Caniadau Bethlehem* gan J.D. Jones, 1857.

Ben Recia: Ceir fersiwn o'r alaw hon dan y teitl 'Ben Reica' yn *Hen Alawon (Carolau a Cherddi) Casgliad John Owen, Dwyran*, (gol. Kinney ac Evans) 1993, Rhif 6.

Bid Hir Oes I Fair: Alaw Seisnig a gyfansoddwyd yn 1692 i eiriau yn dymuno iechyd da a hir oes i William a Mary. Ceir tair esiampl o'r alaw hon yn *Cylchgrawn Cymdeithas Alawon Gwerin Cymru*, cyf.ii, tt.157-159.

Blodau'r Dyffryn: Mae tair o wahanol alawon yn dwyn y teitl hwn; sef yn

*Ysgriflyfr Morris Edwards y ffidler*
*(Drwy ganiatâd Llyfrgell y Brifysgol, Bangor)*

*Musical and Poetical Relicks of the Welsh Bards*, 1794 t.175; Llawysgrif Morris Edwards y ffidler (Bangor Ms 2294) ff.43, a *Melus-Seiniau Cymru* (Ifor Ceri) ff.52. Nid oes un o'r alawon hyn yn addas ar gyfer y geiriau a geir yn *Blodeu-gerdd Cymry*, Dafydd Jones, 1759, a'r farn ydyw mai alawon ar gyfer offerynnau yn unig ydynt.

*Bowl Away*: Gweler casgliad John Thomas, ffidler, yn Ll.G.C. Ms J. Lloyd Williams 39, ff.88.

Bryniau'r Iwerddon: Gweler *Alawon Fy Ngwlad* cyf. ii, t.125.

Cadair Idris: 'Cader Idris' yn *A Selection Of Welsh Melodies*, ail argraffiad (John Parry, 1821). Fe'i cyfansoddwyd gan John Parry (Bardd Alaw), 1804.

Calon Dderwen: Cyfansoddwyd yr alaw gan Sais o'r enw William Boyce dan y teitl *'Heart of Oak'* ar gyfer adolygiad cerddorol yn 1759. Yn 1768 ysgrifennodd yr Americanwyr eu fersiwn eu hunain gan ei galw'n *'The Liberty Song'*. Mae'r fersiwn Saesneg i'w chael mewn llyfrau caneuon cyffredin fel *The New National and Folk Song Book* (cyh. 1939) neu *The News-Chronicle Song Book* a gyhoeddwyd, mae'n debyg, cyn yr Ail Ryfel Byd.

Calon Drom: 'Y Galon Drom', neu *'Heavy Heart'*; gweler *Hen Alawon (Carolau a Cherddi)* Rhif 5.

*Charity Mistress*: Dyma alaw Seisnig arall a argraffwyd gyntaf yn *A Booke of New Lessons for the Cithern and Gittern*, 1652, dan yr enw *'Gerard's Mistress'*. Ceir enwau Cymraeg eraill arni fel 'Elusenni Meistres' a 'Gwledd Angharad'. Cafodd fersiwn Gymraeg ohoni o'r enw 'Elusenni Meistres' ei argraffu yn *Hen Alawon (Carolau a Cherddi)*, rhif 26.

Cloch Ymadawiad Nelson: Gweler *Alawon Fy Ngwlad*, cyf. ii, 1896, t.103.

Clychau Rhiwabon: Gweler *Clychau'r Nadolig*, W.S. Gwynn Williams, 1942.

Conset Captain Morgan: Mae dwy o alawon gwahanol yn gysylltiedig â 'Captain Morgan':

a) 'Diddan Captain Morgan' a argraffwyd yn *British Harmony*, John Parry, 1781.

b) yr alaw adnabyddus a ddefnyddid yn ystod rhai o seremonïau'r Eisteddfod Genedlaethol: 'Mynediad Câdpen Morgan' allan o *Musical and Poetical Relicks of the Welsh Bards*, 1784, t.47.

Conceit Gruffydd ap Cynan: Gwelir 'Conset Gruffydd ap Cynan' yn *Musical and Poetical Relicks of the Welsh Bards*, 1784, t.46, ond heb eiriau, ac nid yw geiriau'r garol yn addas heb newid peth arnynt. Mae amrywiad agos iawn i'r alaw hon i'w chael yng nghasgliad Ifor Ceri, *Melus-Seiniau Cymru* ii, ff.37, gyda geiriau carol Nadolig gan Twm o'r Nant. Alaw Seisnig i faled, *'Hark the Thundering Cannons Roar'* yw hon yn wreiddiol, a gyfansoddwyd yn 1683 i ddathlu diwedd gwarchae Fiena.

Conset Prince Rupert: 'Hoffedd y Tywysawg Rupert' – *'Prince Rupert's Delight' The Welsh Harper*, John Parry, 1848, Cyf.ii, t.30.

*Country Bumkin*: Alaw Seisnig, *'Country Bumpkin'* a geir yn *Caledonian Country Dances 1*, 1733. Gwelir fel 'country buncwn' yng nghasgliad llawysgrifau John Thomas, ffidler, yn Ll.G.C: Ms J. Lloyd Williams 39, ff.92.

*Crimson Velvet*: Alaw Seisnig o'r unfed ganrif ar bymtheg. Gweler 'Y Ffion Felfed'/'Crimson Velvet', *Melus-Seiniau Cymru* ii, ff.22; *Per-Seiniau* ff.8, Ifor Ceri, Ll.G.C. Ms 1940.

Cwynfan Prydain: Gweler *Y Caniedydd Cymreig* John Thomas (Ieuan Ddu), 1845, t.101.

Difyrwch Gwŷr Aberffraw: Adnabyddir hefyd fel 'Ffarwel Gwŷr Aberffraw'. Gweler *Cylchgrawn Cymdeithas Alawon Gwerin Cymru*, cyf.i, t.75.

Difyrwch Gwŷr Caernarfon: Ceir o leiaf chwe gwahanol alaw o'r un enw. Mae'r hynaf i'w chael mewn llawysgrif sy'n dyddio'n ôl i flynyddoedd cynnar y bedwaredd ganrif ar bymtheg. Mae'n debyg mai'r esiampl fwyaf adnabyddus yw alaw ix yn *Caniadau Bethlehem.*

*Devon March*: Mae fersiwn o'r alaw hon i'w gweld yn *Hen Alawon (Carolau a Cherddi)*, Rhif 2 ac mae'r geiriau yn cyfateb i'r rhai sydd yn *Carolau Awen Llyfnwy* (1883) o waith Robert Ellis y Clochydd.

Diniweidrwydd: Gweler *Hen Alawon (Carolau a Cherddi)*, Rhif 36.

Dydd Llun y Boreu: Gweler hefyd 'Bore Dydd Llun' a *'Monday Morning'.* Ceir 'Dydd Llun y Bore' yn *Hen Alawon (Carolau a Cherddi)*, Rhif 3.

Eirddugan Caer y Waen: 'Erddigan Caer Waun' *Musical and Poetical Relicks of the Welsh Bards*, 1794, t.126.

Fedley Fawr: 'Y Fedle Fawr'. Allan o alaw Albaneg/Seisnig o'r enw *'About the Banks of Helicon'.* Gweler *British Harmony*, John Parry, 1781, t.13.

*French March*: Gall yr alaw hon fod yn un ai 'Galar Gwŷr Ffrainc' (gweler *Caniadau Seion*, Richard Mills, 1840, dan y teitl 'Y Milflwyddiant') neu 'Difyrwch Gwŷr y Gogledd' a ddisgrifir gan J.R. Jones, Ramoth yn *'frantick French march'* mewn llythyr at Dewi Wyn o Eifion. Ceir dwy esiampl yn *Alawon Fy Ngwlad*, cyf.i, t.53: (a) 'Difyrwch Gwŷr Bangor' a (b) 'Difyrwch Gwŷr y North'.

Ffarwel Dai Llwyd: Enw arall ar 'Ymadawiad y Brenin', neu *'King's Farwell'.*

Ffarwel Gwŷr Aberffraw: Gweler 'Difyrwch Gwŷr Aberffraw' uchod.

Ffarwel y Cwmni: Ymddengys bod hwn yn deitl arall ar *'Loath to Depart'* ac 'Anhawdd Ymadael'. Gweler *Musical and Poetical Relicks of the Welsh Bards*, 1784 t.66.

Gadael Tir: Gweler *'Leave Land'* isod.

Gadlys: Mae'n debyg mai hon yw'r alaw a elwir 'Y Gadlys' a argraffwyd gyntaf yn *Musical and Poetical Relicks of the Welsh Bards*, 1794, t.168. Enw gwreiddiol yr alaw oedd *'Of noble race was Shenkin'* a ysgrifennwyd ar gyfer y ddrama Seisnig, *The Richmond Heiress* yn 1693. Yng ngwaith Edward Jones y digwydd yr enw 'Y Gadlys' am y tro cyntaf yn 1794.

Glan Medd'dod mwyn: Ymddangosodd yr alaw hon mewn print sawl tro, a'r cynharaf yn *A Collection of Welsh, English & Scotch Airs*, John Parry, 1761, ac hefyd yn *British Harmony*, a *Musical and Poetical Relicks of the Welsh Bards*, 1784, t.45.

*God Save the Queen*: Gall hon fod yr alaw y cenir anthem genedlaethol Lloegr arni, neu 'Duw Gadwo'r Frenhines' fel y mae yn *Caniadau Bethlehem*, xvi.

Gwel yr Adeilad: Alaw Seisnig o'r ail ganrif ar bymtheg o'r enw *'See the Building'.* Gweler *Hen Alawon (Carolau a Cherddi)* Rhif 16.

*Heavy Heart*: Gweler 'Calon Drom' uchod.

Hir Oes i Fair: Gweler 'Bid Hir Oes i Fair' uchod.

*Hope to Have*: Gweler 'Mel Wefus' *Cylchgrawn Cymdeithas Alawon Gwerin Cymru* Cyf.iii, tt.50-54.

Hun Gwenllian: Gweler 'Orddigan Hun Gwenllian', yn *The Bardic Museum*, Edward Jones, 1802, t.68.

Hyd y Frwynen: Gweler *British Harmony*, t.22.

Hyfrydwch y Brenin Sior: Gweler *Hen Alawon (Carolau a Cherddi)*, Rhif 14.

*King's Farwell*: Gweler 'Ffarwel Dai Llwyd'.

*King Jâms*: Mae'n debyg mai'r un yw hon â *'King James's Delight'*; alaw y cenid llawer o gerddi Cymreig arni. Hyd yn hyn ni ddaethpwyd ar draws unrhyw gofnod o'r alaw hon yng Nghymru. Mae alaw arall, o'r enw *'King James's March'* wedi ei chyhoeddi yn *The Dancing Master*, 1721, t.143.

*Lady Beiram*: Gelwir hefyd yn 'Dewis Meinwen' ac fe'i hargraffwyd yn *Musical and Poetical Relicks of the Welsh Bards*, 1784, t.62.

*Leave Land*: Adnabyddir fel 'Gadael Tir' yn *Musical and Poetical Relicks of the Welsh Bards*, 1784, t.69.

*Loath to Depart*: Gweler 'Anodd Ymadael' uchod.

*Love Sweet Passion*: *'If Love's a Sweet Passion'* yw teitl cân o waith Henry Purcell, *The Fairy Queen*, yn 1692. Ceir tair gwahanol fersiwn o fesur a elwir *'Love is Sweet Passion'* neu *'Sweet Passion'* yn llawysgrif Morris Edwards (Bangor Ms 2294) ac ymddengys eu bod yn perthyn i alaw Purcell. Argraffwyd 'Os Mwyn yw Cariad/*Love is Sweet Passion*' yn *Hen Ganiadau Cymru*, Edward Jones, 1825, ond nid yw'r alaw hon yn perthyn i un Purcell nac i'r rhai a gofnodwyd gan Morris Edwards.

Llef Caerwynt: Adnabyddir yr alaw hon hefyd fel *'Guinea Windsor'*; teitl a ddaeth o'r faled a elwir *'The Guinea Wins Her'* sydd yng nghasgliad Samuel Pepys o faledi, o'r ail ganrif ar bymtheg. Ni rydd Pepys alaw iddi ac ni ddaethpwyd ar draws un o'r enw yma yn un o'r casgliadau Seisnig. Mae tair fersiwn o'r alaw yn argraffedig yn *Cylchgrawn Cymdeithas Alawon Gwerin Cymru*, Cyf.iii, tt.56-60.

Mari Fwyn: Ni ddaethpwyd ar draws alaw o'r enw 'Mari Fwyn', ond mae'n bosibl mai talfyriad ydyw o 'Marged Fwyn ach Ifan' yn *Musical and Poetical Relicks of the Welsh Bards*, 1794, t.124.

Malldod Dolgellau: Ceir un fersiwn o'r alaw hon yn *Musical and Poetical Relicks of the Welsh Bards*, 1794, ond mae'r fersiwn a geir yng nghasgliad llawysgrif Ifor Ceri, *Melus-Seiniau Cymru*, ii, ff.9 yn llawer gwell ar gyfer ei chanu.

Marwnad yr Heliwr: Gweler *Alawon Fy Ngwlad*, cyf.ii, t.130.

*Meirionethshire March*: Gweler *Hen Ganiadau Cymru*, 1820, t.8.

Mentra Gwen: Alaw boblogaidd iawn a argraffwyd yn *British Harmony* ac yn *Musical and Poetical Relicks of the Welsh Bards*, 1784. Mae dwy fersiwn arbennig o dda yn *Hen Alawon (Carolau a Cherddi)*, rhifau 34 a 35.

Morfa Rhuddlan: Mae'r alaw hon wedi ei hargraffu sawl gwaith ers ei hymddangosiad cyntaf yn 1730 yn y llyfr *Aria di Camera*. Gweler *Songs of Wales*, Brinley Richards, 1873, t.73.

Moses Salmon: Nid oes amheuaeth mai'r un alaw yw hon â honno a elwir 'Moses Samon' neu 'Moesen Salmon'. Mae'r enw'n tarddu o alaw ddawns Seisnig a elwir '*Monsieur's Almain*' a cheir fersiwn Gymraeg ohoni yn y llyfr cyntaf o geinciau honiadol Gymreig i gael ei gyhoeddi, sef *Antient British Music* (John Parry ac Ifan Wiliam, 1742). Mae'r fersiwn a gyhoeddwyd ynddo yn dra gwych ac yn amlwg wedi ei chynnwys fel darn prawf ar gyfer y delyn; ail-argraffwyd hi yn *Cambrian Harmony*, Richard Roberts, 1829.

Old Darbi: Alaw faled o'r ail ganrif ar bymtheg a ganwyd yn *The Beggar's Opera*, 1728, i'r geiriau '*Can love be controul'd by advice*'. Ni wyddys pa bryd y dechreuwyd ei galw yn 'Old Darby / Hen Ddarbi'. Gweler '(Yr) Hen Ddarbi' yn *Caniadau Bethlehem*.

*Pilgrim*: Ni ddaethpwyd ar draws unrhyw alaw o'r enw yma ac mae'n ddigon posibl mai emyn-dôn ydyw.

*Pretty Nany*: Mae'r alaw hon yng nghasgliad llawysgrif Morris Edwards, (Bangor Ms 2294) ff.1.

Queen Bess: Gweler 'Bess yn Teyrnasu'; *Cylchgrawn Cymdeithas Alawon Gwerin Cymru*, Cyf.4, t.84, (wedi ei hanfon i mewn gan Bob Roberts, Tairfelin).

Serch Hudol: Baled Seisnig efo cerddoriaeth. 'Draw Cupid Draw'; alaw a ddaeth yn boblogaidd yng Nghymru yn ystod y ddeunawfed ganrif dan yr enw uchod. Ymddangosodd gyntaf yn *Wit and Mirth* neu *Pills to Purge Melancholy*, Thomas D'Urfey, ac wedyn yn un o argraffiadau *The Dancing Master*. Cyhoeddwyd yr alaw yn *Musical and Poetical Relicks of the Welsh Bards*, 1794, t.135.

*Spanish Baven*: Alaw o'r Eidal oedd '*Spanish Pavan*' yn wreiddiol, a daeth yn boblogaidd yn Lloegr tua diwedd yr unfed ganrif ar bymtheg. Ceir yr unig esiampl yn Gymraeg yng nghasgliad Ifor Ceri, *Melus-Seiniau Cymru*, ii, ff.47.

*Sweet Jenny Jones*: Ymddengys nad oes alaw o'r union deitl hwn, eithr yn llyfr John Parry (Bardd Alaw) *A Selection of Welsh Melodies* (arg. cyntaf, 1809) ceir y nodyn canlynol wrth yr alaw 'Cader Idris': '*The Song of Jenny Jones was adapted to this Air, which was composed by John Parry in 1804'*. Felly, mae'n ddigon posibl bod '*Sweet Jenny Jones*' yn enw arall ar yr alaw 'Cader Idris'.

Sweet Richard: Alaw boblogaidd iawn a chyhoeddwyd hi amryw o weithiau. Y fersiwn fwyaf poblogaidd yw'r un yn *A Collection of Welsh, English & Scotch Airs* t.1.

Subulldir: Gweler 'Sybylltir' yn llawysgrif Ifor Ceri, *Melus Seiniau Cymru*, ii, ff.10. Ceir y nodyn canlynol yn Nhrafodion yr *Anglesey Antiquarian Society Field Club* (1973): 'Ar un cyfnod ceid "*Sybylltir*" yn enw ar alaw a fu unwaith yn eithaf poblogaidd, a dichon mai cyfeirio at gartref y bardd [sef Dafydd Llwyd c.1580-1657] y mae.'

Symlen ben bŷs: Yr alaw ddawns Seisnig *'Mall Sims'* o'r unfed ganrif ar bymtheg yw hon a gafodd enw Cymraeg rywbryd yn ystod y ddeunawfed ganrif o bosibl. Mae dwy fersiwn ohoni (heb deitl) yn *Antient British Music* ond fe'i gelwir yn 'Symlen ben bys' yn *Musical and Poetical Relicks of the Welsh Bards*, 1784, t.68.

The Bird: Ceir dwy alaw wahanol yn *Hen Alawon (Carolau a Cherddi)*.

Tôn y Ceiliog Du: Yn *Caneuon Llafar Gwlad*, gol. Roy Saer, 1974, Cyf.i, t.19 wrth drafod y garol 'Dyma Wyliau Hyfryd Llawen' ceir y nodyn canlynol: ' . . . "Y Ceiliog Du" oedd yr enw a roid ar y dôn.'

Trymder: Gweler *Hen Alawon (Carolau a Cherddi)*, Rhif 24.

Truban: Gweler 'Triban' yn y *Musical and Poetical Relicks of the Welsh Bards*, 1784, t.58.

Tymhestl Rhyfel: Gweler Llyfrgell Genedlaethol Cymru Llsg. 84948; *'Music Book of Thomas Williams, Dolgellau'* (1899).

Y Cowper Mwyn: Gweler 'Y Cywpar Mwyn' yn *Hen Alawon (Carolau a Cherddi)*, Rhif 9.

Ymadawiad y Brenin: Ceir amryw wahanol nodiant o'r alaw hon; gweler *British Harmony* am y gynharaf ohonynt.

Ymdaith Gwŷr Harlech: Mae'r alaw hon wedi ei hargraffu sawl tro ers ei hymddangosiad cyntaf yn 1784. Gweler *Songs of Wales*, t.82.

Ymdaith Rodney: Gweler 'Gorymdaith Rodney' ac 'Ymdeithdon Rodney' yn *Alawon fy Ngwlad*, cyf.ii, t.86.

Ymdaith Syr Watkin: Gweler 'Ymdaith Syr Watkin Ieuanc' yn *Alawon fy Ngwlad* cyf.ii, t.86.

# Y Borfa Ymchwil

Nodais y prif ffynonellau yng nghorff y testun, ond diau y bydd y crynhoad hwn o'r maes ymchwil o fudd i rai.

Cloddfa wych i'r maes hwn yw'r cylchgrawn *Cymru* a gwnes ddefnydd llawn o'r casgliadau sydd ar gadw ym Mhrifysgol Bangor ac yn Archifdy Caernarfon.

Cefais sylfaen ardderchog ar gyfer gosod cefndir i'r hanes o ddarllen erthygl Mr G.T. Roberts a gyhoeddwyd dan y teitl 'Arfon (1759-1822)' yn *Nhrafodion Cymdeithas Hanes Sir Gaernarfon*, Rhif 1, 1939. Elwais hefyd o ddarllen y traethawdau bro cyhoeddiedig fel *Hynafiaethau, Cofiannau a Hanes Presennol Nant Nantlle* gan W.R. Ambrose (1872) a *Hynafiaethau a Thraddodiadau Plwyf Llanberis a'r Amgylchoedd* gan William Williams (1892).

Er mwyn cael mwy o oleuni ar gyfnod y baledi, eu lle a'u harwyddocâd yn y traddodiad llenyddol, darllenais *Baledi'r Ddeunawfed Ganrif* gan Thomas Parry (Gwasg Prifysgol Cymru, 1986) ac *I Fyd y Faled* gan Dafydd Owen (Gee, 1986). Mae *Mynegai i Bibliography of Welsh Ballads &c.* (J. H. Davies) gan Tegwyn Jones yn gyfrol wir ddefnyddiol hefyd.

Gwnes ddefnydd mawr o lawysgrifau Walter S. Jones (Gwallter Llyfni) ar Ddyffryn Nantlle sydd ar gadw yn Adran Llawysgrifau'r Brifysgol, Bangor ac hefyd o'i lythyrau at Carneddog sydd yn y Llyfrgell Genedlaethol. Bu traethawd y Canon Gwynfryn Richards ar blwyf Llanllyfni (Bangor 10436) yn ffynhonnell ddefnyddiol hefyd.

Mae ugeiniau o fân gyfeiriadau pwysig wedi eu cyhoeddi gan Bob Owen Croesor yn ei golofn 'Lloffion' yn *Y Genedl* o 1929 ymlaen, ac hefyd gan Carneddog yn ei golofn yntau 'Manion o'r Mynydd' yn yr *Herald Cymraeg*.

Cyfrannodd Mr W. Gilbert Williams, Rhostryfan, nifer o erthyglau ar hanes cymdeithasol Arfon yn *Y Genedl* a'r *Herald* yn ogystal â'i gyfres ar 'Hen Gymeriadau Arfon' a ymddangosodd yn *Cymru* ar ddechrau'r ganrif.

Rwy'n ddyledus i'r Dr Thomas Parry am ei erthygl ar 'Sir Gaernarfon a Llenyddiaeth Gymraeg' a gyhoeddwyd yn rhifyn 3 o *Drafodion Cymdeithas Hanes Sir Gaernarfon* (1941) ac am ei ysgrif ar 'Dafydd Ddu Eryri' yn rhifyn 41 (1980) o'r *Trafodion*. Dysgais fwy am Dafydd Ddu a'i 'gywion' wrth ddarllen darlith Cynan a gyhoeddwyd yn y *Transactions of the Honourable Society of Cymmrodorion* (1970).

Mae'r ffeithiau ynglŷn ag Owain Gwyrfai i'w cael yn *Gemau Gwyrfai* (1904) o waith ei fab Thomas Williams, ac yn *Hen Arweinwyr Eisteddfodau* (1944) gan Daniel Williams.

# Mynegai